JN319308

社文庫

サクラ咲く

辻村深月

KOBUNSHA

光 文 社

目次

約束の場所、約束の時間

九月の転校生

「今日《きょう》は、転校生を紹介《しょうかい》します」

担任の星野《ほしの》先生がそう言って菊池悠《きくちゆう》を紹介したとき、俺《おれ》以外のクラスのみんなは興《きょう》味津々《みしんしん》って感じであいつの顔を見ていた。

夏休み明けの二学期、まだ蒸し暑い若美谷《わかみや》中学二年三組の教室。

先生の後ろに心細そうにくっついてた、眼鏡《めがね》のチビが一歩前に出て、黒板を背に立つ。

「菊池悠です。よろしくお願いします」

聞こえるか聞こえないかの小さい声。ぺこっと大きく頭を下げたはずみで、顔の半分くらいの大きさのぶかっこうな眼鏡が前にずり落ちそうになって、それをおどおど、あわてて直す。

「席は武宮《たけみや》の隣のあそこ。武宮、よろしく頼《たの》むな」

「はい」

先生に言われて、俺は渋々《しぶしぶ》頷《うなず》く。

俺の隣の窓際《まどぎわ》の席に、一学期まではなかった新しい机と椅子《いす》がいつの間にか用意されていた。先生に言われて、悠がその席に着く。チラッと見たけど、気まずそうに下を向いて、俺の方を見ないようにしてるふうだった。

休み時間になると、何人かが俺の隣の席を囲んで、悠を質問攻めにしていた。どこの学校から来たの？　部活、何やってた？

「わからないことがあったら何でも聞いてね」

学級委員長の高橋《たかはし》が言う。

俺は、そいつらの声を聞きながら席を立ってトイレに行く。転校生に興味なんかなかったし、親切ぶって話しかけるのなんか俺のキャラじゃない。いくら隣の席だからって、そういうのは他《ほか》の誰《だれ》かがかわりにやればいい。それに、あいつはおとなしそうで、背も小さいし、色も白い。いわゆる真面目《まじめ》な優等生タイプなんて、俺とは合わないし、話しても絶対に楽しくない。きっとあいつは委員長の高橋や、その辺のタイプの似たグループと仲良くなるんだろう。

そう思っていたのに、その日の放課後、部活の最中に美晴《みはる》に話しかけられた。

「朋彦《ともひこ》、ちょっといい？」

砂原《すなはら》美晴は、女子陸上部の部長で、俺のクラスの学級委員だ。俺とは保育園から一緒《いっしょ》だし、クラスも部活も同じだから、結構長いつきあいになる。しっかりしてて責任感が強いって理由で、夏休み前に三年生が引退した後《あと》、女子部が全員一致で美晴を部長に決めたらしいけど、正直、俺はこいつ、ちょっと苦手だった。サバサバとはっきり物を言うところとか、目つきが妙《みょう》に鋭いとことか、クール系って感じがする。

俺はシューズの紐《ひも》を結び直しながら、美晴の顔を見ないで答える。

「何？」

「転校生の菊池くん。隣の席なんだから、仲良くしてあげてね。前の学校と教科書、違うのもあるだろうから、見せてあげて」

何でそんなことをこいつに言われなきゃならないんだろう。思いながら「ふうん」と声を出すと、興味がないことがバレたのか、美晴の顔つきが険《けわ》しくなった。

「菊池くん、新しい学校で心細いと思うから」

「わかったよ」

返事をして、走り出す。陸上部は先生のいない自主練のとき、学校の裏山を走りこみに使っていいことになってる。男子部の部長の長谷川《はせがわ》にすれ違いざま、声をかける。

「ちょっと、裏山走ってくる」

「え？　おい、朋彦！　今日はリレーの練習だって言っただろ？　新人戦まであと三ヵ月なんだぞ」

「すぐ戻《もど》るって」

十二月初めにある新人戦。俺は百メートルと、四×百のリレーに出ることになっていた。走ることは好きだし、メンバーに選ばれてるのは嬉《うれ》しいけど、リレーの練習は人と一緒にやらなきゃいけなくて、それがちょっとめんどくさい。夏休みの間の部活でも、長谷川たち他のメンバーとの待ち合わせ時間に遅れて、あいつらや、それに男子部のことなんだから関係ないのに、美晴にまで怒られた。新作ゲームの『ドラゴン・クラウン2』に夢中になってたせいで、部活の時間をうっかり忘れていたのだ。

『友達を大事にしなよ。約束守らないなんて、最低だよ』

美晴に言われた言葉を思い出すと、やっぱりまだいらつく。

裏山に入ってすぐ、俺はおや、と思って足を止めた。思いがけず、そこにさっきまで話に出ていた転校生の菊池悠の姿を見かけたからだった。あいつは一人きりで、相変わらず細い体を頼りなさそうに前に倒して、ひょこひょこ歩いている。右手に何かの本を持っていた。

「おい」

思わず声をかけてしまったのは、あいつが裏山の立ち入り禁止エリアへのロープをくぐろうとしたからだった。

俺たちの学校の裏山は、大昔、地域の豪族《ごうぞく》の屋敷があった。その遺跡《いせき》が今も発掘されている途中で、走りこみをするような遊歩道は問題ないけど、遺跡の方は立ち入り禁止になっている。今は発掘が一時休止中らしくて、誰も中で作業したりしていないけど、それでもいつか発掘を再開するときのための穴が空《あ》いていたり、足場が組まれていたりして、危険なのだ。

俺に声をかけられた悠が、驚いたように背筋を伸ばす。その瞬間、あいつが手に持っていた本が、どさりと地面に落ちた。びっくりしたように、悠が俺の顔を見た。

「武宮くん……」

「何してるんだよ。そっち、危険なんだ。転校してきたばっかりでわかんないかもしれないけど、そこ、立ち入り禁止で――」

説明しながら近づいて行った、そのとき。

悠の足元に落ちている本の表紙が見えて、俺は驚いて息を呑《の》みこんだ。『ドラゴン・クラウン9』。俺が今夢中になってる『ドラクラ2』とよく似たイラストが描《えが》かれている。タイトルの文字の感じも同じ。だけど、――『9』？

「それ……」

呆気《あっけ》に取られたような俺の視線に、悠が気づいた。顔が「やばい」って表情を浮かべた。

「ごめん、これ、なんでもないから」

教室で俺の顔を見なかったのと同じように目を伏せて、本を拾うと胸に抱《かか》えこんで隠してしまう。「待てよ」と俺はあわてて呼び止めた。

「今のそれ、『ドラクラ』の絵だろ？　でも、『9』って」

「本当になんでもないんだ」

「なんでもないことあるかよ。ちょっとでいいから見せてくれよ」

守るように本を抱《だ》いたまま、悠が首を振る。顔色がすごく悪かった。

「ごめん。できないんだ。本当にごめん」

「でも——」

「ごめん！」

悠が体を一歩引く。そのまま、走って逃げ出そうとしたのかもしれない。けれど、そうするより早く、悠の体が震《ふる》え出した。苦しそうに胸を押さえて、うっ、と息を吐《は》き出す。体をその場に折り曲げて、口がきけなくなったように蹲《うずくま》る。大事そうに抱えていた本が、震える腕の間から支《ささ》えきれなくなったようにゆっくり落ちた。

「おい、大丈夫か？」

今度は俺が焦《あせ》る番だった。苦しがる悠の様子は普通じゃないように見えた。去年、同じクラスに喘息《ぜんそく》を持ってるヤツがいて、そいつが授業中に発作《ほっさ》を起こしたときと似ている。座りこみ、悠の肩に手を置いたときだった。

「どうしたの？」と声がして、はっと後ろを向くと、美晴が立っていた。心配そうに首を傾《かし》げてこっちを見ている。

「リレーの練習があるから朋彦を呼びにきたんだけど。——菊池くん？　具合が悪いの？」

「美晴、先生を呼んできてくれ。保健室に」

悠の手が、肩に置かれた俺の手に触《ふ》れた。冷たい手だった。「大丈夫」と力なく、息も絶え絶えに悠が言う。

「――よく、あるんだ。薬を飲めば治《なお》るから、鞄《かばん》に、薬が……」

「わかった」

美晴が素早く俺たちに駆け寄り、悠が背負った鞄の中を探す。すぐに小さなケースを取り出して悠に見せると、悠がこくりと頷《うなず》いた。震える手で美晴からカプセル状の薬を受け取り、唇《くちびる》の間に押しこんで、飲みこむ。

俺と美晴は、ほとんど息を止めてその様子を見ていた。やがて、頬《ほお》にいくらか赤みが戻った悠が、静かに深呼吸して、俺たちを見た。

「ごめん。迷惑《めいわく》かけて」

「迷惑なんて。菊池くん、病気か何かなの?」

「うん。ちょっと……」

悠はそのことについてはあまり話したくないように、そそくさと頷いて、「本当にありがとう」と俺たちに礼を言った。

「また、明日《あした》、学校で」

そう言い残して、学校とは反対側の遊歩道を歩いて行ってしまう。裏山に何しに来たのか、話さないままだった。おかしな空気のまま、俺たちも裏山を降りようとしたところに、美晴が「あっ」と声を上げた。

「菊池くん、忘れ物かな」

声に振り返って、俺もあっと思う。『ドラクラ9』の表紙の本。あわてて拾い上げる。美晴は女子で、ゲームに興味があるタイプでもないから、きっと、この本の価値や、今ここにあるのがおかしいってことがわからないのだ。

「俺が返すよ」

ジャージのわきに、そっと隠すように本をはさんだ。

未来のゲームソフト

机の上の『ドラクラ9』の本を、俺はさっきから何度も何度も読んでいた。悠があれだけ隠していた本の中を見てしまうのはさすがに抵抗があったけど、好奇心に勝てなかったのだ。

それは、俺が今遊んでる『2』よりはるかに進化した画面の写真がいっぱい載ったゲームの攻略本だった。本体も今のゲーム機じゃないみたい。写真で見ただけでも、画面が今よりもっとずっと鮮明で、手を伸ばしたら触れられそうなくらいキレイなんだってわかる。システムも新しくて、こう来たか⁉　って思うようなしびれる設定。

菊池悠は、なんでこんなすごい本を持ってるんだろう。

気になってネットで検索してみても、『ドラクラ』はやっぱり『2』が最新で、『9』の情報なんて一つも出てこない。本の後ろをめくる。本を発行した会社の住所や、発行の日付なんかが書いてある部分をなにげなく見た俺は、そこでめちゃくちゃ驚いた。発行年月日のところに——今から百年先の日付が書いてある。

とっさに自分の部屋にかかった今年のカレンダーを見る。間違いない。何度見ても今から百年も先の未来の数字だ。そんなバカな、と思うけど、本の表《おもて》に書かれた『ドラクラ9』の文字と、今よりずっと進化したゲーム画面の写真を前にしたら、言葉が出てこなくなる。

次の日、学校に行った俺は、悠に話しかける決心をしていた。あの本は何なのか、どうしてそれを持っていたのか。聞きたいことは山ほどあった。何よりまず、あのゲーム『ドラクラ9』が気になって仕方ない。

朝の教室に、悠は俺より先にもう来ていた。席に鞄を置いたところで、俺が声をかけるより早く、悠が話しかけてきた。

「おはよう、武宮くん。あの、昨日《きのう》のことなんだけど」

「具合、もういいのか？」

「あ、うん。どうもありがとう」

相変わらず、おどおどとしたしゃべり方だった。「あの、それで」悠が続ける。「昨日、僕、本を忘れてきたみたいなんだけど、知らない？　今日、気づいて戻ったときにはもうなくて」

「俺が持ってる」

悠が唇をぎゅっと引き結んだ。俺の目をじっと見る。

「返してくれる？」

呟《つぶや》くような声だった。

「あれ、ないと困るんだ」

「いいけど、こっちも聞きたいことがある」

悠が頷いた。わかってるとでも言いたげに、諦《あきら》めたような表情を浮かべる。

「放課後、昨日の裏山に来てくれる？　そこで話すよ」

「わかった」

悠に会うのが待ちきれず、部活の片づけを「用事がある」と言って切り上げて、俺は裏山に急いだ。悠はすでに来ていて、俺の姿を見つけてすぐ、ロープの向こうを指差した。

「誰にも話を聞かれたくないんだ。——この向こうで、いい？」

「わかった」

走りこみで何度も通ったコースだったけど、ロープの向こうに行くのは初めてだった。普段《ふだん》誰も入らない場所に行くなんてドキドキする。二人でロープをくぐって奥まで歩くと、石でできた遺跡の建物が目に入ってくる。家のようになった一部分を見つけて、悠と俺は座った。

鞄から『ドラクラ9』の攻略本を出して返すと、悠がほっとしたように「ありがとう」と受け取った。

「それ、何なんだ？　日付、見ちゃったんだけど、あれって今から百年も先の日付だろ？」

「うん」

迷《まよ》うように首を動かした悠が、しばらくして、思いつめたように顔を上げる。

「約束だから、話すよ。武宮くんは、タイムスリップって信じる？」

「は？」

「タイムスリップ」

悠を見つめる。生真面目《きまじめ》に正面を向いた顔は、嘘《うそ》をついているようにもふざけているようにも見えなかった。タイムスリップ？　心の中でくり返す。タイムスリップって、つまりあれ？　SF映画とか、『ドラえもん』とかに出てくる……。悠が続けた。

「僕、未来から来たんだ。未来って、つまりは武宮くんたちの今の時代から見て未来ってことだけど」

「え」

未来人って言葉が思い浮かんだ。俺たちとは違う服を着て、違う文化を持ってるヤツら。だけど、映画や漫画でよく見るそいつらに比べて、悠にはまったく変なところがない。俺と同じ普通の中二男子にしか見えない。分厚《ぶあつ》い眼鏡を押し上げて、悠が語り始めた。

「未来で、今、この時代にはない新しい病気が流行《はや》ってて、僕、それにかかってるんだ。昨日倒れちゃったのもそのせいでさ」

話しながら、無理するみたいに笑う。

「その治療のために、空気のまだきれいなこの時代に来てる。今からの百年で、地球の環境《かんきょう》は急激に悪化するんだ。こんな森が残ってるところは、僕の時代、もうほとんどない」

　悠が裏山の木々を見上げて、眩《まぶ》しそうに目を細めた。

「僕らの時代に、僕と同じ病気にかかってる人はたくさんいるんだけど、この病気の正確な原因や、この病気がいつ初めて発生したものなのかはまだわかってなくて。新種のカビが原因の喘息《ぜんそく》の一種とも言われてるんだけど——、その原因を探る意味もあって、僕は、まだこの病気が確認されていなかった、百年前のこの時代で療養をすることになったんだ」

「本当に？」

「うん。信じられなくても仕方ないけど、信じてくれると嬉しい」

　悠の声は真剣だった。

「でもさ、その、お前の病気だけど、過去で治療するんじゃなくて未来に行って治療することはできないわけ？　それこそお前らの時代のさらに未来に行けばもう治る病気になってるかもしれないじゃん」

　昔は不治の病だったかもしれないけど、今はもう治る病気っていうのがたくさんあるって、聞いたことがある。尋《たず》ねると悠が残念そうに首を振った。

「僕らの時代で開発されたタイムスリップの能力は、過去にいくのはオッケーでも未来には行けないんだ。未来に行く時間の軸が僕らにとっての〝現在〟で止まってる。タイムスリップした過去から、元の時代に戻るので精一杯なんだ」

「ふうん」

時間の軸、という言葉を聞いて、それ以上聞くのをやめてしまう。こみ入ったややこしい話は正直ちんぷんかんぷんだし、急にタイムスリップと言われてもまったくピンと来ない。そんなことできるはずないじゃないかと思うけど、江戸時代の人間から見たら、俺たちの身の回りにある車も飛行機も、テレビだって意味不明で、そんなものが開発されるなんて想像もできなかっただろう。そう思うと、タイムスリップだって将来できたとしてもおかしくないのかもしれない。

「タイムスリップって、お前、今もできるのか？　たとえば、今、俺とどこかの時代に行くとか」

尋ねると、悠がドキッとしたように話すのを止《や》めた。ためらうように黙った後で、

「できるけど、できない」ときっぱりした声が言う。

「いつでも未来に戻れるように、タイムスリップ用の道具は持ってるよ。それを使えば、

確かにできる。だけど、勝手にやっちゃダメなんだ。特にこの時代に人前でそんなことをすれば、僕の時代の法律で、重い罪になる。ここでの療養も途中でおしまいになって、僕は未来に帰らなきゃならなくなる」

「タイムスリップ用の道具って、つまりはタイムマシン？」

聞くと、悠が初めて無理のない表情で、普通に笑った。「うん」と頷《うなず》く。

「だけど、使うことはできないし、本当は、このことを話してもいけないんだ。僕の時代から見て『過去』の世界の人に『未来』のものを見せるのさえ、本当はいけない。だから、黙ってて欲しいんだけど」

「いいよ」

俺があっさり頷くと、悠は驚いたようだった。目を丸くして俺を見つめる。

「そのかわりさ、このゲーム、『ドラクラ9』。お前、持ってるのか？」

「あ、未来から持ってきてる。本当はそれもあんまりよくないことなんだけど」

決まり悪そうな顔で悠が頭をかく。

「やりかけで、どうしても続きをやりたくて、こっそり持ちこんだんだ。——向こうのお医者さんから、なるべく緑の多いところに行ってみるように言われてて、それで昨日、この裏山で、こっそり本を見ながらやるつもりだったんだ」

「ゲームやらせてくれるなら、黙ってるよ。お前の秘密《ひみつ》」

悠の話が本当かどうか。こいつが未来人だということは、はっきり言ってまだ完全に信じられたわけじゃなかった。だけど、この本はまぎれもなく本物で、悠だけの力で作るなんて絶対に無理だ。ゲームはどこかに存在するし、だとしたらやってみたい。ひょっとしたら、悠のお父さんは、『ドラクラ』のゲーム会社の人だったりして。

それぐらいの軽い気持ちだった。だけど、俺の提案を受けた悠はとても嬉しそうに笑った。こっちがびっくりするくらい素直な声で「ありがとう！」と言った。

「ありがとう。やっぱり、学校に通って良かった」

「え？」

「お父さんやお医者さんからは、この時代に来るのは、病気の治療のためだけだから、学校は通っても通わなくてもどっちでもいいって言われてたんだ。だけど、やっぱり来てよかった」

「はぁ？　サボればよかったじゃん、そんなの。俺、学校行かなくていいなら、毎日だって休みたいよ」

「友達が欲しくて」

そう言うとき、悠は耳まで真っ赤になった。

「向こうの時代では発作がしょっちゅう起きてて、学校にあんまり行けなくて。こっちの時代ではその心配がないから、夢だったんだ、学校に通うの。あ、昨日みたいに興奮《こうふん》したりすると、発作、起こっちゃうみたいなんだけど、今度からはもっと、気をつけるから」

かける言葉が見つからなくて、俺は黙ってしまう。「もう行こうか」と立ち上がった悠を「あのさ」と呼び止めた。

「朋彦、でいいよ。俺の呼び方。俺も、お前のこと悠って呼ぶ」

悠がきょとんとした顔を作る。あわてて続けた。

「部活とかで仲がいいヤツは、みんなそう呼んでるから」

悠がまた、にっこり笑って頷いた。

「ありがとう！　行こう、朋彦」と俺を呼んだ。

タイプのちがう友達

悠が持ってきたゲーム機は未来の最新式だとかで、見たことがないデザインだった。

俺が今やってるやつよりずっと小さいけど、基本のボタンや操作はほとんど変わらないから、すぐに慣れた。悠はゲームを裏山の遺跡エリア限定の約束で、俺にやらせてくれるという。

「ゲームした後は、それ、ここに隠すことにしない？」

悠が、遺跡の岩のかげを指差す。「ちょっといい？」と俺の手からゲーム機とソフトを受け取った悠が、背中を向けて岩かげで何かしている。次にこっちを振り向いたとき、その手は何も持っていなかった。

「あれ？　ゲームは？」

「ここだよ」

悠が薄いカードを取り出してかざすと、何もなかったはずの場所に急にゲーム機と本が現れた。俺はあまりの驚きに声を失う。

「透明なシェルター。未来の金庫みたいなものなんだ。隠したものごと、周《まわ》りの景色と同化させちゃう。カードを使わない限り、他の人には取り出せないし、見えないよ。僕の時代だとみんな使ってるものなんだけど、この時代じゃ、まだこれ開発されてないんだよね？」

「すげえ」

シェルターの場所は、触《さわ》ってみても何もないみたいに手が素通りする。どうなってるのか、まったくわからなかった。悠が未来から来たって話はまだ半信半疑で、完全には信じられないけど、確かにこれは今の科学じゃ説明ができない。

他の人に見つかるといけないから、とソフトから『ドラクラ9』のタイトルシールをはがし、攻略本の表紙もマジックで『9』のところを一緒に黒く塗りつぶす。

「だけど、百年経《た》ってもドラクラってまだ『9』までしか出てないの？『1』から『2』の間も二年だったし、もっとたくさん出てるかと思った」

「『8』からずっと続きが出てなかったんだけど、今年ようやく何十年かぶりで『9』

が出たんだ。僕らの時代は逆に初期の『1』とか『2』が残ってないから、そっちの方が羨《うらや》ましい」

ゲームをする俺の横で、悠は教科書を開いている。宿題は出てないはずなのに、予習や復習をやってると聞いてさっき驚いたばかりだった。俺、宿題がない日に勉強なんかしたことない。

「明日、『2』持ってきてやろうか」

「本当⁉」

悠の顔が輝《かがや》いた。次の日貸してやると、大袈裟《おおげさ》なくらい喜んでいた。

「ありがとう。僕にとっては幻《まぼろし》のソフトだったんだ。すごく嬉《うれ》しい」

「最新の『9』持ってたくせに、変なの」

俺も笑った。誰かを喜ばせるって悪くない。

急によく話すようになった俺たちを不思議《ふしぎ》に思ったのか、しばらくしたある日、学級委員長の高橋が悠に話しかけるのが聞こえた。

「菊池くんと武宮くんが仲がいいなんて意外だ。一体何して遊んでるの？　教えてよ」

「ゲームとか、いろいろ」

「本当？　俺も好きなんだ。新作、何持ってる？　今度、ソフトの貸し借りしようよ」

「あ、うん」

悠が困ったように小声で答える。それを聞きながら、俺は気分がよかった。『ドラクラ9』をやらせてもらえるのは、きっと俺だけだ。

悠が転校してきて二ヵ月目、十一月。

来月の新人戦がいよいよ近づいて、部活の空気がピリピリし出した頃《ころ》、俺は練習の後《あと》で、長谷川から残るように言われた。今日も裏山で悠が待ってるから、本音《ほんね》を言えば、すぐにそっちに行きたかったけど、長谷川の顔がいつになく真面目だったから気になって残った。

「お前、最近、感じ悪いよ」

いきなり、そう言われた。

「リレーの練習にいないことが多いし、片づけだって一年や俺たちにまかせてよく先に帰るし。なんだか、タイムさえ速ければそれでいいって思ってるみたいだ」

「それは……」

俺は黙ってしまった。今まで遠まわしに注意されたことはあっても、いつもはっきり言う美晴ならともかく、長谷川からこんなことを言われたことはなかった。『タイムが速ければいいと思ってる』なんて考えたことはなかったけど、そう思われていたことがショックだった。

「それに」と、長谷川が言いにくそうに続ける。

「三組のヤツに聞いたけど、最近、転校生の地味《じみ》なヤツと一緒にいるんだって？　お前、そういうタイプじゃなかったのに」

「悠のことは関係ないだろ」

地味、という言葉に動揺《どうよう》してしまう。確かに俺も最初そう思っていた。悠はつまらなそうな、俺とは違うタイプだって。だけど他のヤツらからとやかく言われたくない。

「ともかく、ちゃんとやれよな。お前、たるんでるよ」

長谷川のこんな冷たい声を聞くのは初めてだった。

その日、裏山に行った俺が無口なことに、悠が気づいた。「どうしたの？」と尋ねられて、つい「部活、やめようかな」と口に出してしまう。悠が驚いたように俺を見た。

「続けなよ。陸上部ってかっこいいよ」

「そうかな」

「朋彦は速いって、クラスのみんなから聞いたよ。僕、自分が全然運動ができなくて、走ったり無理したりできないから、羨ましいよ」

「無責任なこと言うなよ。だいたい、お前は部活やらないわけ？　何でもかんでも体や病気のせいにするなよ。未来の自分の時代ならともかく、この時代だったら、発作だってあんまり起きないんだろ」

悠は転校してきてから、体育の授業をずっと見学していて、これまで一度も出ていない。そこまで体を動かす必要のない集団行動や体操の授業まで休んでることを、クラスの何人かはあまりよく思っていないらしかった。放課後も俺が部活を終えるのを、裏山で一人、いつも勉強しながら待ってる。療養のため、放課後は木の多い場所で過ごさなきゃいけなくて、だから部活に入れないんだろうってことは想像がついたし、何より、俺は苦しそうに発作を起こす悠の姿をこの目でもう見てしまっている。だけど今は、お前がそんなだから、俺がいろいろ言われるんだとイライラした。

「ごめん」

申し訳なさそうに、悠が言った。素直に謝《あやま》られてしまうと、それ以上何も言えなくなってしまう。黙ってゲーム機のスイッチを入れると、悠が遠慮がちに続けた。

「体、動かしてもいいかどうか、今度、向こうのお医者さんに聞いてみる。部活も……」

俺の体は健康そのもので、悠の大変さなんてちっとも理解できていないんだろうってことはわかってた。だけど、いちいち大人《おとな》に聞いてみないと何もできない悠のことが、今日は無性《むしよう》にじれったかった。

「これ、今日、家に借りてってもいい？」

『ドラクラ9』を指さす。未来のゲームをするのはこの裏山の秘密の場所だけという約束だった。だけど、悠はしばらくためらう様子を見せたものの、話が変わったことにほっとしたのか、小さな声で「いいよ」と答えた。

借りた『ドラクラ9』が消えてることに気づいたのは、次の日の部活が終わって着替えをしてるときのことだった。鞄の中に入れておいたのに、ない。

背中を、嫌《いや》な汗がすーっとすべっていく。あわてて、鞄の中味《なかみ》を全部ひっくり返して出してみる。だけど、ない。ゲーム機とソフトは、何かにぶつかったはずみで電源が入ってしまうといけないから、はずして、別々に入れておいた。筆箱の中にしまったゲーム機本体の方はあるけど、ソフトがない。

「どうした、朋彦」

隣のロッカーで着替えていた長谷川が声をかけてくる。俺はぎくりと背筋を伸ばして、首を振った。

「たいしたことじゃないんだけど。――ゲームソフトみたいなの、見なかった？　マイナーなゲーム機のやつなんだけど」

我ながら苦しい説明だった。『ドラクラ9』のタイトルは、シールをはがしてあるから、見つかってもすぐに大騒《おおさわ》ぎになることはないだろう。でも――。

「学校にゲーム持ってきたのか？　先生に見つかったらどうすんだよ」

「知らないならいい」

声を張り上げ、鞄を背負って部室を出て行く。悠に何て言おう……。

結局その日、悠にはソフトを「家に忘れた」と話した。悠は「いつでもいいよ」と許してくれたけど、嘘をついたことでますます胸が苦しくなる。もし、あれが誰かに拾われて問題になったら、悠の療養は、俺のせいで中止になってしまう。あいつの未来の話をどこまで自分が信じてるかは、自分でも相変わらずよくわからなかった。ただ、それが悠にとって大事な話だってことはわかってるつもりだった。
次の日、朝の部活が終わった後。教室に入ろうとしたら、前の廊下《ろうか》に美晴が立ってい
た。近づいてきて、小さな紙袋を渡してくる。
「これ」
開けてみて、驚いた。中に俺が探していた『ドラクラ9』のソフトが入っていた。
「昨日、裏山に落ちてるのを拾ったの。朋彦が探してるのって、これだよね。今回は見
逃《のが》してあげるけど、次から、学校にこういうものは持ってこないでよね」
「どうして俺が探してるって知ったんだ？」
「長谷川くんと一緒に探したんだよ。昨日、残って一人で探してるところに、私がたま
たま通りかかって、手伝ったの」
俺はまた驚いて、息を呑んだ。さっきまで朝の部活で一緒だった長谷川は、そんなこ
と、何も言ってなかった。
「同じクラスの私から、返しといてくれって」
美晴が言って、先に教室に入ってしまう。俺は礼を言うタイミングも失って、その場

に立ち尽くしていた。少し遅れて教室に入り、隣の席の悠に「おはよう」を言う。

「今日から、裏山に行く時間、今までより遅くなってもいいか？　部活、新人戦が近いから、もうちょっと練習に集中したいんだ」

悠は少しだけ驚いたようだった。だけどすぐに、いつもみたいな笑顔《えがお》になる。

「もちろん。がんばってね」

バトン・リレー

十二月に入ってすぐの新人戦。当日の朝、会場の県立競技場に立つと、冬の冷たい空気が胸にしみるように感じた。寒い寒い、と嫌がるヤツも多いけど、俺は冬に走るのが好きだ。冷たい空気に膝《ひざ》やふくらはぎがピリピリするたび、闘っているっていう気持ちになる。

「いよいよだな」

横に立った長谷川が言う。「ああ」と俺は答えた。当日になっていよいよ緊張が増してくる。今更《いまさら》だけど、確認してみたくなった。

「リレーのアンカー、本当に俺でいいのか」

「最初から朋彦しかないいって、みんな思ってたって。悔《くや》しいけど、俺より速いもんな」

長谷川が苦笑《にがわら》いする。

「だからさ、お前にはどうしてもしっかり部活出て欲しかったんだよ。ありがとうな、当番でもないのに、今日まで準備も片づけもずっとやってただろ。あれ見て、部内の気持ち、かなりまとまったと思う」

「いや、もともと俺、不真面目だったし」

「うん。だから部長は、お前よりタイム遅くても俺に回ってきた。俺の方がみんなに慕《した》われてるし」

「自分で言うか？　普通、それ」

ふざけ調子に笑いながら、だけど心の中で感謝する。本当にその通りだ。長谷川には、助けられたことがいっぱいある。ウォームアップを先に終えた女子が、美晴を中心に集まって、「ファイトー、おー」と気合いを入れている。声を合図に輪がバラバラと解散してすぐ、美晴が俺たちの方にやってきた。

「菊池くん、応援に来てるね」

「え、マジで？」

「うん、あそこ」

部活に入っていない生徒は、新人戦の日は学校で自習をする決まりになってるはずだ。悠から何も聞いていなかった俺は、驚いて美晴の指差す方向を見つめた。スタジアムの真ん中の席、変装のつもりなのか、帽子をふかぶかとかぶった悠の姿が確かにある。

あいつ、学校、サボったのか。

驚き、それから少しおかしくなった。あいつは何でも大人の言いなりなのかと思ってたのに。

横で俺たちの様子を見ていた長谷川が「あのさ、ごめんな」と、気まずそうに話しかけてきた。

「あの転校生、体が弱くて、体育できないんだってな。『地味なヤツ』なんて言ってごめん」

「気にするようなヤツじゃないよ、悠は」

言いながら、だけど自分のことのようにドキッとした。俺だって、前にあいつに言ってしまったことがある。『何でもかんでも体や病気のせいにするなよ』……。今、長谷川は謝ったけど、俺は悠に謝っていない。

予選を終え、百メートルも四×百のリレーも、順調に決勝に進むことができた。リレーの決勝は、他の種目が全部終わった後、一番最後に行われる。

百メートルの決勝で、俺は市内四位のタイムだった。俺の中では新記録のタイムだったけど、三位までの表彰には届かなかった。結果を見て、顧問《こもん》や部活仲間は「すごい」って喜んでくれたけど、俺は複雑な気持ちだった。今年は去年よりかなり真剣にやってきたつもりだったし、もっといい成績が出せると思っていた。リレーの決勝を前に、改めて緊張《きんちょう》する。

アンカーをつとめるってことは、みんなからそれだけ期待されて役割をもらったってことなのに、当の俺の実力って、こんなものなのか？　うちの学校のメンバーは、リレー選手に選ばれなかった部員も含めて、きっと全員が四×百で入賞する気でいるはずだ。

いよいよ、リレーの決勝が始まる。

四百メートルのトラックのゴールまで百メートルの地点で、深呼吸しながら足首を回す。俺は、三番目に走ってくる長谷川から、バトンをもらうことになっていた。

「ヨーイ、スタート！」

号令の声とともに、第一走者が駆け出す。悪くなかった。先頭から数えて三番目、一位二位にぴったりつけて、うちの陸上部の赤いバトンが揺れる。続く第二走者も、そのペースを崩《くず》さないまま、あっという間に長谷川までバトンをつないだ。

声を張り上げて「いいぞ！」と手を叩《たた》きながら、喉《のど》の奥がこわばったように乾いていくのがわかった。順番が近づいてくる。

長谷川がバトンを握《にぎ》り締《し》め、スタートする。長谷川のバトンの受け取り方、スタートダッシュは、本当にフォームが整っていてきれいなのだ。スムーズな動きで駆け出した長谷川が、並んでいた三位までの先頭集団から、一歩、抜け出した。部員たちが歓声《かんせい》を上げるのがわかった。

一位だ！

しかし、そのときだった。順調に前に前に進んでいた長谷川の横、それまで一位を走っていた学校の生徒が、焦《あせ》ったように体を前のめりに倒す。スピードを上げようとしたのかもしれない。しかし、その弾《はず》みで体が崩れ、そのまま、長谷川の足に向け、肩から倒れた。

目を見開く。一瞬、何が起きたのか、わからなかった。

転んだそいつと一緒に、長谷川の体がよろけた。顔が、信じられない、という表情を浮かべていた。コースをアウトしかける。俺は、悲鳴《ひめい》のような声を上げた。

「長谷川！」

倒れた選手とよろけた長谷川の横を、次々と別の走者が追い抜いていく。部員たちを見ると、みんな言葉もなく、女子もみんな口に手をあてて、様子を見守っていた。

とっさに、悠を思った。スタジアムの悠。タイムスリップできる、時間を行ったり来たりできるという、悠。

時間を戻して、と思わず祈った。長谷川がバランスを崩す一瞬前に。一生懸命《いっしょうけんめい》部長をやってきたあいつの努力が、こんなふうに無駄《むだ》になってしまう前に。スタジアムに悠の姿を探す前に、長谷川がこっちに走ってくる。体を斜めにそらしたまま、転びかける一歩手前で踏みとどまっているように見えた。

その顔を見た途端《とたん》、あいつがまだ諦《あきら》めていないことがわかった。歯を食いしばって、足でグラウンドを精一杯《せいいっぱい》蹴《け》って、俺に向かって駆けてくる。先頭集団とそんなに差は開いていないが、俺の目に、トップとの距離は途方もなく遠いものに思えた。ラストで挽《ばん》回《かい》できるかどうかは、ギリギリだ。

だけど、長谷川はそこから猛烈《もうれつ》な勢いで立て直そうとしている。決意が感じられた。

あいつは、俺に懸《か》けてる。

覚悟ができた。誰にも頼らず、俺がやらなければダメなんだと。

「朋彦！」

バトンを俺に渡す長谷川の顔は、泣きそうに歪《ゆが》んで、本当に苦しそうだった。

「すまん、頼む！」

返事をする時間も惜しかった。俺は無言で頷き、バトンを受け取って走った。今まで一番、バトンリレーがうまくいった。

ふいに、周囲の音が何も聞こえなくなる瞬間がやってきた。

前を走ってる相手の背中を目指して、ただひたすらに風を切る。意識したわけでもないのに、体はぶれもせず、自由に軽く動いた。走ることしか、考えなかった。風を受け、見えない力に背中を押されるようだった。自分の胸から、鼓動《こどう》の音が聞こえる。

どうして百メートルしかないんだろう。もっと、もっと、走れる。必死な長谷川の顔や、声を張り上げる部員の顔や、そういうのが全部、頭の中で声がない画面のように流れる。

先頭集団の中に飛びこむ。一人、やっとの思いで追い抜く。必死だった。そのとき、声が聞こえた。

「朋彦、がんばれ！」

それは、美晴の声にも長谷川の声にも聞こえたし、他の部員や先生たちの声にも聞こえた。だけど、それがスタジアムの悠のものかもしれないと思ったとき、俺は走るっていうのは本当に気持ちのいいことだと知った。これが自由にできない悠の体が、どれだけ苦しく、もどかしいのかってことも。

目の前には、あと一人の背中が残っているだけになった。音が戻ってくる。歯を食いしばって、俺は目の前を走る背中に自分の肩を並べた。地面を蹴《け》る足に力が入る。

俺の胸がゴールテープを切った瞬間《しゅんかん》、それまで消えていた音が一気に戻ってきた。わぁぁぁ、と歓声が上がる。俺はゴールしても勢いが止まらず、数メートル走ったところでようやく足を止めた。途端に膝《ひざ》から力が抜けて、頭の奥が震えるようにガンガンした。

「朋彦！」

美晴や、それに長谷川が駆け寄ってくる。二人とも、涙をこらえてるように顔が真っ赤だった。部員たちに頭をぐしゃぐしゃ乱暴になでられ、肩を抱かれていると、少し遅れてようやく、うちがトップだってことが理解できて、肩にかかっていた力がゆるんでいく。

「アンカーで走ったタイム、さっき、個人で走った百のタイム、超えてるって」

美晴が息を切らすような声で教えてくれた。

「百で一位だった子より、朋彦のさっきの走りの方が速かった。本番であの走りだったら、個人の優勝、朋彦だったよ」

「よかった」

俺も大きく呼吸しながらこたえる。だけど、今のリレーの走りは、自分一人だけじゃ絶対にできなかった。つないだバトンを受けたから、初めて足があんなふうに前に出たんだ。

「よくやった、朋彦」

長谷川はもう、顔だけじゃなくて目も真っ赤だった。「ありがとう」なんてがらにもなく言われると、なんだか気まずい。「俺の方こそ」と答えた。

スタジアムの悠を探す。立ち上がってこっちを見ている姿に気づいて手を上に突《つ》き出すと、来ているのがバレてると思ってなかったのか、びっくりした顔をした。だけどすぐ、俺の真似《まね》をして手を上に突き出す。

「おめでとう」と、その口が動いた。

ホログラム・レター

「かっこよかったなぁ、朋彦」

部活の後、いつもの裏山でゲームをしながら、悠と新人戦の話になった。

なんだか照れくさくてうまく返事ができなくなる。話題をそらしたかったけど、ついでに思い出したことがあった。「あのさ」と話しかける。

「俺さ、あのリレーで長谷川が転んだとき、時間を戻して欲しいって思ったんだ。悠に、タイムスリップしてもらえないかって」

とっさに思ってしまったことだったけど、後ろめたかった。悠に謝る。

「そんなことしたら、お前、未来に戻されちゃうのに。俺、本当に勝手なことを考えたって反省《はんせい》した」

悠は目を丸くして、首を振る。

「大丈夫だよ。それより驚いた。朋彦がわざわざ謝ってくれるなんて」

悠が腕組《うでぐ》みをする。「それに」とどこか申し訳なさそうに続けた。

「僕のできるタイムスリップにはルールがあって、どっちみち、あのタイミングで長谷川くんを元に戻すことはできなかったよ」

「どういうこと？」

「僕がタイムスリップさせることができるのは、自分の体だけなんだ。あとは、そのとき自分が着てる服や、持ってる物。実を言うと、そのゲームや透明シェルターを作るカードも、こっそりポケットの中に入れて、未来から持ってきたんだ」

俺の手の中の『ドラクラ9』を指差す。

「タイムスリップには、過去から未来へ時間を移動する力と、場所を移動する力の二種類があるんだけど、タイムマシンは僕ひとり分しか運んでくれない。あのとき、タイムスリップしたとしても、できるのは、当日の朝に戻って、長谷川くんに『気をつけて』って警告することぐらいだったと思う。でも、そんなの意味不明だから、きっと聞いてもらえなかったろうし、朋彦も長谷川くんも、そんなのがなくても、自分たちの力で走りきって結果を出したんだから偉《えら》いよ」

時間移動と場所移動。悠の言ってることはだいたいわかった。確かにテレビや漫画で見るタイムマシンは、現代の日本から急に中世のヨーロッパに移動したりして、時間と場所の両方を超えている。

「それってさ、もし俺が悠にタイムマシン借りてやった場合はどうなんの？　たとえば俺が昨日とか、明日とか、少し先の過去や未来に行ったときは、その時間には、昨日や明日の俺がいるわけだろ？」

たとえば数ヵ月前の俺に「部活をきちんとやれ」とか、『ドラクラ9』のソフトをなくしたりするな」って、注意することはできるのか。尋ねると、悠が首を振った。

「その場合は、その時間の朋彦が消えるんだ」

「消える？」

「うん。タイムスリップした朋彦が、その時間の朋彦と交代する。過去や未来の朋彦が消えて、やってきた朋彦が、本物で唯一の朋彦になるんだ」

「へえ」

実際にタイムスリップなんかすることはないだろうし、その必要もない。だけど、悠の話を聞くのは面白《おもしろ》かった。「あのさ」と悠が顔を上げる。遺跡の隅《すみ》にある背の高い木の一本を指して言った。

「もし、僕が急に未来に帰らなくちゃいけなくなったら、この木の下を掘って。心配ないと思うけど、朋彦に全部話してることがわかったら、療養が中止になるかもしれないから」

笑ってるけど、悠が精一杯平気そうな声を努力して出してるのがわかる。俺はあわてて「縁起《えんぎ》でもないこと言うなよ」と声を張り上げた。

「俺、お前の秘密は誰にも言ってないし、これから先だって絶対に言わない。大丈夫だよ」

「うん」

悠が泣き笑いするみたいな顔で静かに頷く。

冬休み、俺は悠の家に遊びに行った。ゲームと宿題を一緒にやろうって誘われたのだ。

「未来人も、こっちに家があるんだな」

「うん。僕と同じように療養に来てる人もいるしね。なるべく静かにそっと入って」

マンションのようなその建物は、大きくて新しいけど、とても静かで、壁も、入り口の自動ドアも、どこか冷たい印象だった。馴《な》れた手つきで鍵を差しこんでドアを開ける悠の背中が、初めて見る知らないヤツみたいに小さく見えた。

案内された悠の家は、病院の部屋みたいだった。全体的に白くて殺風景《さっぷうけい》だ。そこで、俺は初めて悠の家族のことを考えた。ベッドと机のある部屋は、風呂や台所とつながってはいるけど、生活できる部屋はここがすべてだ。人が寝たりできるスペースは悠の一人分だけだし、家族で一緒にご飯を囲むテーブルもない。

「悠の父さんや、母さんは？」

「向こうにいるよ」

悠の言う〝向こう〟が未来なのだということはすぐにわかった。悠は何てことないように答えたけど、声が寂《さび》しそうに聞こえたのは俺の勘違《かんちが》いじゃないと思う。「でもね、平気なんだ」と悠が続ける。

「台所には、食べたいカードを入れればなんだって出してくれるレンジがあるし、父さんや母さんからは、ホログラム・レターだってひんぱんに来るし」

「ホログラム・レター？」

「これ」

悠が机の上に転がしてあったミニチュアの懐中電灯《かいちゅうでんとう》みたいな細い筒《つつ》を手に取る。側面のスイッチを押すと、ふわっとクリーム色の光が上に向けて広がった。髭《ひげ》を生《は》やした真面目そうな男の人と、優しそうな女の人の顔が映し出され、それが、なんと口をきいた。

『悠、元気ですか。お父さんたちは――』

「お互いにこれでメッセージを飛ばせる。僕も、両親が持ってる機械に向けて返事をするんだ。未来との電話はとても高いから滅多《めった》に使えないんだけど、これならそこまで高くない。顔も見られるし」

「そっか」

悠が、手にした筒のスイッチを切る。映像が消えて、悠の両親らしい人たちの顔も、白い霧《きり》が光に溶《と》けるようにいなくなった。

「何か食べる？」と悠が聞き、レンジ用のカードを選ばせてくれる。機械で作ってもらったチャーハンはプリッとした大きなエビ入りで、ごはんもパラッとしてとてもおいしかったけど、俺はそれをもくもくと食べた。

直接話すことができない、一方通行の映像だけの悠と家族のやりとりは、いつまで続くのだろう。この白い部屋と、浮き上がるように立体的な光の手紙。悠の未来の話は、本当に、本当なのかもしれない。悠は、家族と離《はな》ればなれなのだ。

「お前の病気って、未来の技術でも治らないのか？　大人になっても？」

「うん。小さい頃に、お医者さんから一生のつきあいになるだろうから覚悟するようにって言われた。特効薬はまだない。あと百年はかかるだろうって」

「百年！」

思わず声が出た。百年先の未来から来た悠の言う、そこからさらにかかる百年の歳月は、思うだけで気が遠くなりそうだ。

「それって、もし今から開発すればお前が来た未来に間に合うのかな。それか、その病気が発生しないように、俺たちのこの時代から環境にものすごく気を遣《つか》うとか」

「どうだろう。もしそれでどうにかなるなら嬉しいけど、その場合、僕はこの時代に来なくなるわけだから、それもちょっと残念だな」

「どうして？」

家族と離ればなれで、ひとりでこんな寂しい場所に住んでいるのに。怪訝《けげん》に思って尋ね返した俺に、悠が照れくさそうに笑った。

「ここに来なかったら、朋彦とも友達になれなかった。それは、残念だよ」

言葉につまった。むずがゆい気持ちになって顔をそらしかける。だけど、ふと思い直して、深呼吸する。そして言った。

「俺、努力するよ。お前の時代が来るまでに」

「え？」

「何ができるかわかんないけど、お前の病気が治るように精一杯、考える。約束する。ごめんな、お前の病気、俺たちがこの時代で好き勝手にやったせいでそうなったのかもしれないもんな」

悠がきょとんとした表情を浮かべる。俺が笑わず、目もそらさないことを知って、その顔がふっとゆるんだ。「ありがとう」と悠が答えた。

「嬉しいな。未来で待ってるよ」

「今度、うちにも来ないか？」

うちの母さんのチャーハンは、ご飯はたまにダマになってたり、エビじゃなくて、チクワの残りなんかが入ってるけど、量が多いし、醬油《しようゆ》の匂《にお》いがすごくいい。「いいの⁉」と悠の口元《くちもと》がさらにほころんだ。

新年になって、悠が初めてうちに遊びに来たとき、母さんが驚いていた。玄関先で丁寧《ていねい》に靴《くつ》をそろえ、「おじゃまします」をきちんと言う友達。中に入って、すぐに宿題を開く友達なんて、俺が連れてきたのは初めてだった。

「悠くんはいい子ねえ。これからも、うちの朋彦をよろしくね」

母さんに言われ、悠は「こちらこそ！」と首を大きく縦《たて》に振って頷いていた。

冬休みが終わり、三学期が始まってしばらくした頃だった。

いつものように秘密の透明シェルターにゲームや本を隠し、裏山のロープをくぐろうとしたところで、俺と悠は「ちょっと」と後ろから声をかけられた。びくっとして、おそるおそる振り返る。美晴が立っていた。

「美晴」

「二人とも、遺跡で何してるの？　ちょっと前から気になってたの。あそこは危険だって言われてるでしょ？」

「入ったのは、今日だけだよ」

「嘘《うそ》」

俺が答えると、美晴が眉《まゆ》と眉の間にはっきりとしわを寄せる。そのまま首を振った。

「ごまかさないで。朋彦も、菊池くんも、いい？　怪我《けが》したり、危険な目にあってからじゃ遅いんだからね」

まっすぐな目に見据《みす》えられると、俺も悠も黙ってしまう。美晴がくるりと背を向けて、校舎の方にさっさと歩き出した。姿が見えなくなってから、俺たちは顔を見合わせた。

「何だよ、あいつ」

「心配してくれてるんだよ」

悠が言った。

「美晴ちゃん、ひょっとして朋彦のことが好きなんじゃないかな」

「はあ？　何でそうなるんだよ。あいつが心配してんのはきっと悠のことだろ？　俺がお前を悪い方向に導くんじゃないかって気にしてんだ」

「そうかな。だって、一人で直接僕たちに注意しにきたんだよ。先生に言ってもいいし、それに、女子ってグループで行動することが多いのに、誰にも言わないで一人で来てくれたんだよ」

悠の指摘は意外に鋭かった。そうなのだ。美晴には、そういうふうに、たとえ一人であっても自分が思う正しさを貫《つらぬ》くようなところがある。

だけど、次の日のことだった。

「武宮、菊池。ちょっと職員室に来なさい」

星野先生に呼ばれ、俺と悠は、クラスメート全員の視線を浴びながら教室を出た。美晴も、えって顔をして俺たちを見ていた。

「裏山の発掘区域に出入りしてるって本当か？　お前たちがロープを越えてるのを見た生徒がいる。一体《いったい》、何をしてるんだ」

「誰が見たって言ったんですか」

思わず尋ねてしまう。星野先生は「誰でもいい。本当なのか？」と注意をくり返すだけだった。悠が真っ青な顔で言う。

「もう、しません」

たぶん、美晴だ。心の中で舌打ちする。

俺たちは、重たい気持ちで職員室を出た。

裏山の秘密

放課後の部活、校庭をならして練習準備をしていると、美晴がやってきた。

「先生の話、何だったの？」

「お前、告げ口しただろ」

美晴がはっとしたように立ちすくむ。そのまま通り過ぎようとすると、「待ってよ」

と呼び止められた。

「私は、何も……」

「どうしてくれるんだよ。あそこには大事なものがあって、大人に見られるなんてもってのほかなんだ。悠の命がかかってんだ！」

強い言い方になったけど、止められない。美晴が、ショックを受けたように棒立ちになったまま、俺を見ていた。だけど、それ以上、説明するつもりはなかった。

俺と悠は話し合って、しばらくの間、裏山に行くのをやめることにした。置きっぱなしのゲーム機や攻略本は、透明なあのシェルターがあるからすぐに見つかることはないだろうけど、回収に行かなくてはならない。本当だったら今夜すぐにでも行きたいところだったけど、先生に注意を受けた悠は、まだ顔が青いままで具合が悪そうだった。発作が心配だったから、裏山に取りに行くのは明日の夜に延期した。悠は今、白くて殺風景な自分の部屋の中、一人きりで過ごしているはずだ。

その日の部活は、どれだけ走っても気分が爽快《そうかい》になることはなかった。俺の気持ちをそのまま表したようなくもり空が、目の前に広がっている。

次の日になると、部活の途中でとうとう雨が降り出した。急いで片づけをしながら、俺はグラウンドを行きかう人影の中に無意識に美晴の姿を探した。あの後、何回か話しかけられそうになったけど、さけていた。

「美晴なら、今日は学級委員会の集まりだってさ」

急に長谷川に声をかけられ、ぎくっとする。振り返ると「違うのか？」と尋ねてくる。長谷川は妙に勘《かん》がいいところがある。俺は雨をよけながら「別に」と答えた。

今日は、悠と、裏山にソフトを回収しに行く話し合いをしながら一緒に帰ることにしていた。教室に行くと、長谷川の言ったとおり、学級委員の高橋と美晴の机にまだ鞄が残っていた。

「今夜は雨だから、裏山に行くのは、また明日に延期だな」

家までの帰り道、空を見上げて提案する。たいした雨じゃないけど、悠の体調のこともある。すっきりしない気分だけど、仕方ない。

家に帰ると、夕飯の後で、普段なじみのない相手から電話がかかってきた。母さんから「学級委員の高橋くんから」と言われて驚く。そんなに仲良くないのに、何の用事だろう。

『クラスの緊急連絡なんだ。急ぎだから、今、先生と僕で手分けしてかけてる』

「連絡網？」

先生と学級委員で手分けしてかけてるのなら、美晴も女子にかけてるのだろうか。考えたそのとき、高橋がまさにその美晴の名前を言った。

『砂原さんがまだ家に帰ってないんだ。今日、どこかで見かけなかったか？』

「美晴が？　今日、学級委員会だったんじゃ……」

『学級委員会が終わってから、行方《ゆくえ》がわからないんだ』

高橋が焦った声で言う。俺が黙ってしまうと、やがてためらいがちに口を開いた。

『実は今日、裏山のことでちょっとした話し合いがあったんだ。今週から、裏山の遺跡の発掘が再開される。天気次第だけど、晴れたらすぐに。危険だから、裏山にはこれまで以上に注意して、近づかないようにって。——今も、出入りしてる生徒がいるみたいだけど、立ち入り禁止を徹底《てってい》するようにって、先生たちから議題が出された』

俺は大きく息を吸いこんでそのまま止めた。高橋が続ける。

『その議題で、話し合いがちょっと長くなって、下校時刻が近づいてたし、みんなバタバタしながら帰ったんだ。砂原さんの姿をいつから見てないのか、思い出せない』

「わかった。美晴のことは、俺も心当たりを探してみる。あいつの行きそうなところ——」

武宮くん、と高橋の声が受話器の向こうで聞こえた。泣き出しそうに小さな声だった。

『実を言うと、話し合いが長引いたのは、俺のせいなんだ。俺が先週、先生に言ったんだ。武宮くんと菊池くんが、遺跡で遊んでるって。そのことで、委員会の最中、先生の注意の話が入って』

「え」

高橋の告げた内容は衝撃的《しょうげきてき》だったけど、その声を通り越して、自分が美晴に言った言葉がふっと蘇《よみがえ》る。『告げ口しただろ』。

『ごめん』と一度口にした高橋の言葉は、勢いがついたように後から後から止まらなくなった。

『それと、君のゲームソフト……。鞄から、俺、取ったんだ。二人で何を盛《も》り上がってるのかって、気になって、つい。すぐ見て、返すつもりだった』

高橋の声がとうとう泣き声のようにかすれて、か細くなる。俺は、これには本当に驚いてしまった。そういえば、鞄に入れたはずのあのソフトがなぜ裏山になんか落ちていたのか、不思議《ふしぎ》に思っていた。

『ごめん、武宮くん。だけど、すぐに後悔《こうかい》したんだ。戻そうと思ったときには、武宮くんはもう部活に行った後だった。だから、二人がよく遊んでる裏山に置いたんだ』

「その話、誰かにしたか？」

『してない』

「これからも、誰にも話さないでくれ。それで、もういいよ」

思っていたより冷静な声が出て、自分でも驚いた。少し前――悠の来る、九月の前の俺だったら、高橋に相当腹《はら》を立てたかもしれない。だけど、電話の向こうの高橋がどんな気持ちで謝《あやま》っているのか、それを、今は考えてみることができた。過ぎたことはもう変わらないし、結果的に、あのソフトがなくなり、それが見つかったことで、俺は長谷川や美晴に感謝することだってできた。

思い出すと、喉の奥が熱く震えた。そうだ、美晴はあのときも、探してくれたんだ。

「電話ありがとう。高橋」

電話を切ってすぐ、今度は悠の番号にかける。あいつはすぐに出た。高橋から、すでに同じ連絡があったと言う。長く話さなくても、やらなきゃいけないことはわかっていた。受話器をはさんで頷き合い、裏山に向かう。母さんに止められたけど、美晴と悠のためだと話すと、「気をつけて」と送り出してくれた。小学校の頃から、しっかりしてて真面目な美晴は、うちの母さんからも信頼があつかった。

自分の中の正しさに従って、一人きりであっても行動する美晴。

あいつはたぶん、俺たちの裏山の〝秘密〟を守りに行ったのだ。再発掘で大人があそこに入る、その前に。

裏山に着くまでの間に、それまでそうでもなかった雨が激しくなり始めていた。互いに大声を出して話さなければ、声が通らないほどになる。冬の冷たい雨に、悠の体調が気がかりだったが、悠は大きな傘《かさ》を持ったまま「今は美晴ちゃんを捜さないと」と首を振った。

裏山で、美晴の名前を叫ぶ。何度呼んだかわからなかった。奥へ奥へと道を進むうち、数回目の呼びかけで、声が返ってくるのが聞こえた。

「朋彦。菊池くん」

さらに声を張り上げて「どこだ!?」と叫ぶ。やがて、足場を組んである、家の形が残った遺跡の真ん中で、真っ青な顔をした美晴が雨宿りするように立っているのを見つけた。

「美晴!」

「見つからなくて」

美晴は、傘を差していたけど、寒そうだった。紺色の制服が雨を吸って黒く見える。

「もういいよ」と、俺と悠はほぼ同時に言った。俺は、遺跡の中に入った。

「疑って悪かった。高橋から、再発掘のこと、聞いた。お前、大人が入る前に探してくれようとしたんだな」

駆け寄り、美晴の前に立つ。そのときだった。

「危《あぶ》ない！　朋彦」

悠の声がした。振り返るのと、美晴の横でズッという音が聞こえるのが同時だった。目を見開く。木で組まれた足場が崩れる音だと、瞬時《しゅんじ》にわかった。時間が、テレビドラマをスローモーションで観《み》るときみたいに、ゆっくり流れた。とっさに美晴の前に体を飛びこませる。

「美晴……っ！」

声を上げて、美晴の肩を突き飛ばす。赤い傘が勢いで横に飛んだ。美晴は呆気《あっけ》に取られたように、正面の俺を見ていた。

柱が倒れる、地鳴りのようなどしーん、という音が耳を震《ふる》わせる。雨に濡《ぬ》れて熱くなった美晴の肩の体温を腕に抱《だ》きながら、「朋彦！」と叫ぶ悠の声を聞く。周りから光が遮断《しゃだん》され、視界が闇に落ちるのを感じた。

意識が、ふっと、遠くなる。

未来への約束

「朋彦、朋彦……」

しばらくして、俺を呼ぶ声で目を覚ました。

「朋彦」

すぐ横で、美晴の声もする。俺も「悠、美晴」と、名前を呼ぶ。崩れた遺跡の中は、石と柱が互いに折り重なっていたが、かろうじて、柱の一部が引っ掛かって俺と美晴がつぶされずにすむぐらいの空間がまだ残っていた。

「良かった。無事なんだね」

俺と美晴は、閉じこめられてしまったらしい。崩れた入り口の向こうがわで、悠が心配する、ぼんやりと遠い声が聞こえた。

美晴が呟《つぶや》くように名前を呼ぶ。

「菊池くん……」

悠が「大丈夫」と苦しそうな声で応じる。閉じこめられたのは自分じゃないのに、声がかすれて途切《とぎ》れ途切れに聞こえる。あたりは完全な暗闇《くらやみ》ではなかった。崩れた入り口の下に、腕一本が通るくらいの小さな穴が空いている。そこから薄い光が入りこみ、美晴の顔を照らしていた。

小さな穴から、白い指先が差しこまれた。

「朋彦、僕の手、見える……？　つかめる？」

「おう」

俺も手を伸ばして、悠の指をつかむ。悠がさらに腕をつっこんで、今度は手のひらがこっちに出るぐらいまで、腕を伸ばしてくる。まっすぐ伸びた指先が、ひきつったように、ブルブル、ブルブル、震えている。その手をしっかりと握り締めると、顔を上げた美晴が、光の面積がだいぶ少なくなった穴と、震える悠の手を見つめ、はっとしたように声を上げた。

「菊池くん、ひょっとして、具合が悪いんじゃないの……？」

その声に、俺も思わず悠の手から力を抜いた。その瞬間、「はなしちゃダメだ！」という強い声が、向こう側からした。

「僕は、大丈夫だから……。だから、絶対に手をはなさないで。美晴ちゃんとも、しっかり、手をつないで」

「無理するな！　それに、どうせ、この小さい穴からじゃ、俺たちは引っぱり出せない」

興奮すると、たとえこの時代であっても悠は発作を起こす。今も、相当に息苦しそうだ。穴の向こうから片腕を伸ばし、もう片腕で自分の胸を押さえつけている悠の姿が目に浮かぶ。

「無理するな、絶対やめろ」

悠が首を振る気配があった。

「大丈夫。ずっと、走ったり、みんなと同じようにバスケやサッカーだって、できなかったんだ。僕も、たまには、朋彦みたいに無理したい……」

悠が、微《かす》かに笑った気がした。

「美晴ちゃんの手を、握って。タイムスリップは、自分が、身につけてるものや、握り締めてるものを、僕と一緒に移動させることができるんだ。朋彦と、美晴ちゃんを、きっと一緒につれていける」

「だけどお前、そんなことしたら」

「いいんだ！」

強い声だった。その間も、握り締めた悠の手は震え続けていた。だけど、俺の手をつかんで決してはなさない。美晴は、意味がわからないだろうけど、何も言わずに、ただ俺たちの話を聞いていた。

「早くしないと、いつまた遺跡が崩れてきてもおかしくない。いくよ、朋彦。準備はいい？」

美晴の顔を見る。美晴は黙って俺に手を差し出した。女子の手を触るのなんか、ほとんど初めてのことだ。黙ったままそうしたのは、苦しそうな悠の声をこれ以上、聞いていられなかったからだった。

禁止された、タイムスリップの瞬間は、白く眩《まばゆ》い光とともにやってきた。

それまでの暗い視界から、体が吸い上げられるように上に引っぱり出される感覚がして、ゆっくりと悠の手が、俺の手の中からすり抜けていく。嫌だ、はなしたくない。強く、再び力を込めて握り締めようとしたとき、細かいガラスが光を弾《はじ》くような、キラキラと輝くものが、目の前を過《よ》ぎった。

砕《くだ》けた破片《はへん》が、たくさん、落下していく。眼鏡のフレームが宙を飛んでいる。ひょっとして、あれは、悠の――。懸命《けんめい》に手を伸ばし、無我夢中《むがむちゅう》で、空中でキャッチする。手の中に握り締めた。

悠の声が聞こえた。

「さよなら、朋彦。すごく、すごく、楽しかった……」

すさまじい速さで、時間が、空が動いていくイメージが、頭の中に広がる。

次に気がついたとき、俺と美晴は、見覚えのある教室の前の廊下にいた。制服はびしょ濡れで、互いに手をつないだままだった。あわててはなして、あたりを見回す。悠の姿はどこにもない。

「こら、お前たち」

教室のドアががらりと開き、中から星野先生が顔を出す。驚いた顔をしていた。

「さっきまで教室にいたと思ったのに、いつの間に外に出たんだ。早く、席に戻《もど》りなさい」

「先生、悠は、菊池悠は……」

「ゆう？　キクチ？」

知らない外国語を聞いたように、先生が首を傾げる。背後の黒板の日付と、壁の時計が見えた。それを見て、ああ、と息をつく。美晴を探しに行った、まぎれもない今日の日付。だけど、時間はまだ放課後にもならない二時半だ。

教室を覗《のぞ》きこむ。そして、俺は、呼吸を止めて、頭を抱えた。俺の席の横、最後に見たときまでは確かにあった悠の机がない。

「くだらないこと言ってないで、席に戻りなさい」

後ろの美晴を見つめる。震えたままの美晴が、俺の右手を指差した。

「朋彦、それ……」

そのときになって初めて気がついた。悠の手がはなれた後、俺は空中で何かをつかんだ。こわばった手がまだそれを握り締めている。

手のひらを開く。壊れた眼鏡を見た途端、全部わかった気がした。レンズが割れ、フレームがゆがんでいるけど、フレームの内側に細かいネジがついて、調節メモリのようなつまみがびっしり並んでいる。

悠の眼鏡だ。メモリの横に「過去」「未来」の表示の矢印。あいつのタイムマシンは眼鏡だったんだ。俺たちを助けるために、悠は遺跡が崩れる前の時間の学校へと、俺たちを送ったのだ。そして、この時間教室にいた『過去』の俺と美晴は、『未来』から戻された俺たちと交替して入れかわった。

放課後になると、二人して急に消えたことで、俺と美晴はクラスのヤツらからたっぷりと冷やかされた。だけど、そんなことはどうでもよかった。誰一人、悠の名前を出してもきょとんとして、覚えていない。学級委員長の高橋でさえ、そうだった。

「何言ってるの？　今年はうちのクラス、誰も転校なんかしてこなかったよ」

最後の頼みは、美晴だった。席に近づき「覚えてるか？」と尋ねると、美晴はしっかりと頷いた。

「説明するから、ちょっと来てくれ。今日、学級委員会だろうけど」

「高橋くんに、かわりにしっかり出てもらうように頼んでくる」

普段だったら絶対に、美晴は委員会をサボったりしない。だけど、美晴は、本当に大事かもしれないと思ったときには決断するタイミングを迷わない。そしてそれはきっと、悠もそうだった。考えると、胸がしめつけられるように痛んだ。


裏山の遺跡。ゲームの隠し場所を覗くが、そこにはもう、何も残っていなかった。シェルターがあるからじゃなく、本当に何もなくなって空っぽだってことが、俺にはわかった。俺は急いで、悠が前に指差した木を探す。根元を掘って欲しいと頼まれた、あの木。

もしもそこに何も残されていなかったら、と考えると怖《こわ》くて怖くてたまらなかった。九月から、悠と一緒に過ごした日々が、全部消えてしまったなんて、あいつがどこにもいなかったなんて、嘘だ。悠は、俺の親友だった。タイムマシンも、ここでの生活も、全部だいなしにして、俺を助けてくれた。

土の下から、ビニール袋に包まれた銀色の細い筒が出てきたとき、俺は思わず声を上げた。悠の家にあった、ホログラム・レター。あの日、悠がそうしていたように、横のスイッチを入れる。

ぼおっとした光が浮かび、それが徐々に悠の顔を形作る。横の美晴が息を止めてそれを見ていた。映像の悠が、微笑《ほほえ》みを浮かべる。

『朋彦、美晴ちゃん。――僕はあの後、無理なタイムスリップをしたことで、今はまた、元の、僕の時代にいます。眼鏡も、壊しちゃったし』

はにかんだように笑う。

『だけど、気にしないで。あのときの発作も落ち着いたし、こっちでも治療はできるから。……それに、また父さんや母さんと一緒に暮らせるようになったしね。朋彦のうちのチャーハンがもう食べられないのは残念だけど、うちの母さんのチャーハンもなかなかだよ』

頰《ほお》を引きしめ、今度は真面目な表情になる。

『二人も一緒に連れて一度にタイムスリップするなんて、無茶なことしたなぁって思うよ。だけど、自分にあんなことができるなんて、思ってなかった。僕の存在の記憶をそっちの時代の人すべてから消してしまうと聞いたけど、朋彦と美晴ちゃんだけは、どれだけ忘れさせようとしても、それが無理だったんだって。覚えていたいっていう意志が、とても強かったんだって聞いたよ。――本当にありがとう』

映像の中の悠の目が、涙で潤《うる》んで真っ赤だった。その悠の顔が、俺も自分の涙でにじんで見えなくなる。歯を食いしばっているのに、目のふちから涙がこぼれて頬につたった。

『もう、会うことはできないと思う。だけど、たとえ短い間でも、一緒に過ごせて楽しかった。どうも、ありがとう。さようなら』

映像が消えるとき、「悠」と呼んだけど、返事はなかった。ホログラム・レターは一方通行の受信機だ。こっちからはメッセージを返すことができない。だけど、美晴も俯《うつむ》いて、泣いてるところを見られたくなくて、美晴から目をそらす。だけど、美晴も俯いて、目をぬぐっていた。

顔を合わせないまま、俺は今までのことを美晴に話した。悠の病気のこと。ゲームソフトや、サボってばかりだった部活の練習。――これまでどんなふうに悠に励《はげ》まされ、それにより自分の考えがどう変わったか。それと、最後にあいつがやったタイムスリップの、あの決断と、勇気のことも。

壊れた眼鏡を、ポケットから出して眺《なが》める。未来のものは、本当はこの時代に残していってはいけないはずなのに、きっと俺が握り締めてたからまだここにある。悠がここにいた証《しょう》拠《こ》は、確かに残っている。

　みんなの記憶から消えてしまった悠。だけど、俺が覚えていることには、何か意味があるんじゃないか。話し終える頃には、俺は、自分がこれから何をするべきなのか、決意ができていた。もう涙は出てこなかったし、美晴の顔をちゃんと見ることもできた。

「今から、百年後の未来。悠の病気が新しく出てくる前に、何か、俺たちにもできることがあると思う。原因を突き止めたり、治す方法を考えながら、あいつの時代を待つことはできるはずだ」

　俺は勉強は苦手だし、できることなんて限られているかもしれない。だけど、覚えていることと、努力することは、きっと無駄には終わらない。

　美晴が唇を引き結び、「でも」と言った。

「だけど、未来って、そんなに簡単に変えられるの？」

「やってみなきゃわからない」

　美晴が何かを言いかける。しかし、そのときだった。裏山から景色を見下ろした美晴が「見て」と、太陽を指差す。それを見て、美晴が何を言いたいのか、俺にもわかった。

雨が降る予定だった夕方に、雨が降らず、晴れた空に夕焼けが広がる。悠は、〝未来〟をきちんと変えた。

「俺もやらなきゃ」

強い力で、あいつにぐっとつかまれた手を握り締める。横で、美晴がしっかりと頷いた。

サクラ咲く

本の中の手紙

「書記《しょき》に塚原《つかはら》マチさんを推薦《すいせん》します」

一年五組の教室で、威勢《いせい》よく手を挙げた光田琴穂《こうだことほ》の口からその声が出た瞬間《しゅんかん》、背筋《せすじ》に冷たいものがすべりおちた気がした。あわてて顔を見つめるが、琴穂はマチの方を見ないで、まっすぐ黒板を見つめて続ける。

「理由は、昔から字がうまいからです。小学校が一緒なんだけど、その頃《ころ》から何回か書記やってたもんね？」

尋《たず》ねるときだけ、マチの方を見る。マチはどう答えていいかわからず、顎《あご》だけゆっくり引いて頷《うなず》いてしまった。確かにそうだった。だけど、そうやって引き受けた書記は自分から立候補《りっこうほ》したわけではなく、そのときだって誰かから推薦されたからやっただけだった。

「じゃあ、塚原さん、どうですか」

すでに委員長に決まり、みんなの前に立った守口《もりぐち》みなみが言う。小学校の違う彼女は、まだ知り合って間もないクラスメートだったが、そのみなみから「塚原さん」と急に名前を呼ばれると、おなかの奥がきゅっと緊張《きんちょう》したように痛くなる。

背が高く、首筋までのショートカットの髪は、いかにも昔から運動をやっていそうな雰囲気《ふんいき》だ。そのはきはきした物言いや、何より入学して二週間足らずの新学期の教室で、堂々《どうどう》と手を挙げて委員長に立候補するなんて、マチには想像もできないくらいの活発さだった。

「私……」

気後《きおく》れしながらも立ち上がると、クラスの全員が自分を見るのを感じた。足がすくんだようになる。

(断らなきゃ)

小学校の頃から、いつもそうだった。自分の意見がはっきり主張できないことを、両親や先生から注意されていたし、誰《だれ》かから頼まれごとをすると、マチはそれをなかなか断ることができない。中学に入ったら、そんな自分の性格を直したいと思っていた。

「どう？　塚原さん。書記の仕事、嫌《いや》？」

担任の先生までが言う。

仕事が嫌なのではなくて、こうやって流されてしまうのが嫌なのだと告げようとするが、大勢の人を前にしたら、どう言えばいいのかわからなくなった。かわりに口から
「やります」というか細い声が出た。

前にいるみなみがにっこりと笑った。

「ありがとう。じゃあ、書記は塚原さん。早速《さっそく》だけど、前に出て黒板に書くのを替《か》わってもらっていいですか」

「はい」

返事をして前に行く。人から注目されるのは苦手だった。前に歩き出すとき、膝《ひざ》に嫌な力が入ってしまう。

すでに黒板に書かれた名前を見る。

副委員長は、さっき自分を推薦した光田琴穂と、長沢恒河《ながさわこうが》に決まっていた。恒河もみなみと同じ小学校出身で、昔から二人は仲がいいのか、さっきから息の合った調子でサバサバと議事を進めていく。彼もまた明るくはっきりと物を言えるタイプなのだろう。

「今から他の委員決めるけど、みんな、しっかり立候補しろよー」

ふざけ調子に恒河が言い、それをみなみが「恒河」と名前を呼んで軽くたしなめる。

胸の奥がちくりと痛んだ。なにげないはずの恒河の言葉が、立候補ではなく推薦されるまで黙って座っていた自分への注意のように感じられた。

黒板の前でチョークを握《にぎ》り締《し》めながら、マチは、そういえばこの間の部活を決めるときもこんなふうだったことを思い出していた。

二週間前、入学式が終わったすぐ後で「マチ、部活どうするの？」と琴穂から話しかけられた。

琴穂もまた、小学校から学級委員などをつとめ、友達が多いタイプだった。昔から仲がいいけど、眩《まぶ》しいほどにはっきりと相手に言葉をぶつける琴穂と自分は、まるで性格が違う。

「私、陸上部に入ろうかと思って」

「え。運動部なの？　マチには似合わない気がするけど」

勇気を出して言ってみたのだが、息を呑《の》みこむ。確かに、小学校では運動部に入ってこなかった。黙ってしまったマチに、琴穂がさらに言う。

「あと、噂《うわさ》だけど、陸上部は練習厳しいし、先輩《せんぱい》たちもみんな怖《こわ》いらしいよ。やめといた方がいいかも」

「そうなんだ……」

琴穂の言葉に、膨《ふく》らんでいた期待が急にしぼんでいくのを感じた。

「琴穂はどうするの、部活」

「私？　バスケ部。小学校の頃からミニバス大好きだったし」

琴穂とのやりとり以降、今では陸上部に入りたいという気持ちはだいぶなくなっている。仮入部のための見学にも一度も行っていない。運動部に入る気がなくなっても、何かの部活には入らなければならない。今のところ、校庭でペットボトルロケットを打ち上げる活動があると聞き、楽しそうだと科学部だけを見学に行った。このまま、自分は科学部に入るのだろうか。

委員長になったみなみが陸上部に入るつもりらしいことを、マチはもう聞いて知っていた。本当に、あの子はなんて自分とは違うのだろう。憧《あこが》れに似たため息が落ちて、それからやはり落ちこんでしまう。

一日の授業が終わり、運動部に行くクラスメートたちが着替えのジャージを手に教室を出て行くのを眺《なが》めていると、ふいに背後から「塚原」と呼ばれた。振り返ると、隣の席の海野奏人《うみのかなと》だった。

クラス一背が高く、男子の大半が坊主頭《ぼうずあたま》かスポーツ刈《が》りのうちのクラスでは珍《めずら》しく、茶色がかった髪をさらっと流している。普段の口数は少ないが、授業で誰もわからない問題に一人だけ正解を答えるような場面をもう何度か見ていた。隣の席だけど、話すのは、ほとんど初めてだ。

「今日、科学部行く？」

「あ」

聞かれて思い出した。何回か行った科学部の見学に、奏人もいつも来ていた。彼はきっと入部するつもりなのだろう。奏人が微笑《ほほえ》む。

「もし行くなら、今日は校庭で活動するみたいだよ」

「うん。ありがとう」

「おい、奏人。今日、自転車置き場で待ち合わせしようぜ」

奏人の横で、部活に向かう途中の恒河が言う。彼はサッカー部で、持っているシャーペンや下敷きも、マチの知らない外国のサッカー選手の写真入りのものが多い。同じクラスでしばらく見ていて驚いたのだが、一見正反対に見えるこの二人は、小学校からの親友で仲がいいらしい。

「わかったよ。部活が終わったらそこで待ってる」

奏人が答える声を聞きながら、せっかく誘《さそ》われたのだから、校庭で科学部を見学しようかな、とぼんやり考える。

はっきり意見を言えない自分を変えたいという目標を叶《かな》えるには、まだまだほど遠いことを実感する。


校庭に向かう前に、マチは図書室に寄ることにした。小学校の頃から本が好きで、六年間かけて、前の図書室の本は大半を読んだように思う。中学に入ったら、きっともっと大きな図書室に通えるのだろうと心待ちにしていた。

中に入り、本の匂いを嗅《か》ぐと気持ちが落ち着いた。しかし、貸し出しカウンターの向こうに、当番らしい図書委員の先輩が座って本を読んでいるのを見て、昼間の学級会で感じたのと同じ、おなかがきゅっとする痛みがまた戻ってきた。

マチは本当は図書委員になりたかった。

だけど、クラスの中でできる役職は一人につき一つだけだ。書記を引き受けてしまったせいで、委員会に入れなくなった。自分がはっきり主張しなかったせいで。考えても仕方ない、と首を軽く振り動かし、借りる本を選ぶ。たとえ仮入部であっても、部活の時間に遅れるわけにはいかなかった。

小説の棚《たな》を眺《なが》め、一冊の本に目を留める。リザ・テッナーの『黒い兄弟《きょうだい》』。過酷《かこく》な境遇の中、仲間と助け合って困難を乗り越えていく煙突掃除の少年たちの話だ。小学校の図書室にもあったけど、また読み返せるのだと嬉《うれ》しく思いながら、本を手に取る。たとえ同じ作品であっても、子供向けに書かれたものと大人《おとな》向けのものがあることをマチは知っていた。文章の量、文字の大きさ、漢字の多さ。これまで自分が読んできた本とは、違うだろうか。

新しい、中学校の本。ここにあるすべてをこれから三年間かけて読んでいっていいのだと思うと、わくわくする。

ページをめくると、何かが間をすっと通り抜けるように落ちた。

(あっ)

一瞬、花びらか何かが風に舞《ま》ったように見えた。あわてて落ちた方に視線を向け、床から拾い上げると、それは一枚の細長い紙だった。便せんのようにも見える。

紙には文字が書かれていた。


『サクラチル』


すべてカタカナだったけど、きれいで丁寧《ていねい》な文字だった。

これは一体なんだろう？　しおりがわりに、誰かがはさんだのだろうか。本棚から離れ、席に座る。本の後ろについている貸し出しの記録カードを確認する。一番最近借りた人の欄《らん》には、日付が四月八日とあり、二年四組の先輩の名前が書かれている。

と、その下にある空白の欄に目が留まる。本来ならマチが書きこむはずの場所に、何かが書いて消されたような跡があった。日付は、四月十二日。新学期に入ってから。学年とクラスは一年五組。名前は何も書かれていないし、消された形跡もない。

一年五組！

思わず声を上げてしまいそうになる。マチと同じクラスだ。クラスメートの誰かがこれを借りようとしたのだろうか。自分と同じようにこの話が好きなのだろうか。だけど、どうして一度は書いた日付とクラス名を消してしまったのだろう。

手にした『サクラチル』の紙をじっと見つめる。首を傾《かし》げながらも、マチは紙を元通り本の間にはさむと、そのまま、『黒い兄弟』を借りることにした。

新緑の季節

放課後の廊下で窓の外の校庭を見下ろしていると、陸上部の部員たちがグラウンドに集まり始めるのが見えた。正式な見学は一度もしたことがないが、マチは、こうやって遠くからなら、陸上部の様子をもう何度も見ていた。

みんなが練習前のウォーミングアップをしている。ストレッチを中心とした準備運動と、グラウンド二周のジョギング。みなみの姿が、輪の中に見えた。二人一組の体操で、二年生の先輩に背中を押してもらいながら、足を開いて上半身と腕を正面に倒している。

陸上部の先輩はみんな怖いらしい、と聞いたけど、みなみと組んでいる先輩は優しそうで、後輩《こうはい》とも笑顔で接している。見ていると、胸の奥がむずむずした。琴穂に言われて諦《あきら》めてしまったけど、ここから見ていると、まだ少し気になってしまう。

みなみとは、委員長と書記として同じ学級委員をつとめるうち、だんだんと仲良くなってきた。中学に入って、小学校の頃より人数が増《ふ》え、新しい友達ができるかどうか不安だった。しかし、初回の学級会の記録をノートに取ったものを見せたとき、みなみが、

「マチ、すごいね。すごく細かいところまで丁寧にわかりやすく書いてある。これ見れば、誰《だれ》がどんな意見を言ったか一目でわかる。学級会のこと、よく見てるね」

と褒《ほ》めてくれて、その不安がぬぐい去ったようにきれいに消えた。

知り合ったばかりなのに「マチ」と親しげに呼び捨てにしてもらったことが嬉《うれ》しかった。そんなふうに言ってもらえるなんて思わなかったから、ドギマギしてとっさに「ありがとう、みなみちゃん」と返すのが精一杯《せいいっぱい》だった。本当は、みなみと小学校から同じ子たちのように「みなみ」と呼び捨てにしてみたかったけど、なんだか恥ずかしく思えてできなかった。

横からノートを覗《のぞ》きこんだ琴穂が、

「そうだよ、みなみ。私がマチを推薦してよかったでしょ」

と胸を張る。彼女が軽々とみなみの名前を呼び捨てで口にするのを聞いて、マチは、やっぱり琴穂はすごい、自分とは違う、と思う。もう一人の副委員長である恒河が「別にお前の手柄《てがら》じゃないだろ」とからかうように笑っていた。

意外なことに、みなみとは図書室で一緒《いっしょ》になることも多かった。マチが、思いきって「本が好きなの?」と話しかけると「うん。何か面白《おもしろ》いのがあったら教えて」と答えた。

運動部に入るような子は、休み時間や放課後は外で遊んだり、たくさんの友達に囲まれていることが多く、図書室で一人静かに本を読んだりはしないように思っていたので驚いた。「どんな本が好きなの?」と尋ねると、みなみが少し考えてから教えてくれた。

「一番好きなのはね、『三銃士《さんじゅうし》』」

「あ、私も大好き。同じ作者の『モンテ・クリスト伯《はく》』も去年読んだら面白かったよ」

「本当? その本は名前だけしか聞いたことない。難《むずか》しくない?」

「確かに長いけど、みなみちゃんならきっと大丈夫だよ」

「マチ、いろんなもの読んでて、すごいね」

感心したように言われたら、照れて、とまどってしまった。

「そんなことないよ」と答えながらも、新しい友達ができたこと――みなみのような、自分にはない魅力《みりょく》を持っている子と仲良くなれたのだということが、とても嬉しかった。みなみとは、その会話以来、教室移動や休み時間を一緒に過ごすことが多くなった。

校庭を眺めていると、陸上部の顧問《こもん》の先生がホイッスルを鳴らして全員に集合をかけた。マチも、それを合図にしたように廊下の窓を離れ、教室に鞄《かばん》を取りに戻《もど》る。机の中に入れた『黒い兄弟』を、読み終わった後もまだ図書室に返せずにいた。中にはさまれていた紙が気になるのだ。

人の少なくなった教室で、そっと本を取り出し、紙を見る。『サクラチル』。どういう意味で、書いた相手は何を思って書いたのだろう。教室の窓から見える桜は確かにもう花が散り、葉桜の時期さえ過ぎている。これから先は、青々とした新しい葉っぱの季節になる。

「いたいた、マチ」

背後《はいご》から急に声をかけられ、びっくりして振り返る。あわてて、隠すように本に紙をはさむ。後ろには、琴穂が立っていた。部活に行くのか、ジャージに着替えている。

「何？　琴穂」

「悪いけど、お願いがあるんだ。次の学級会の原案《げんあん》作り、マチ、私のかわりに書いといてくれないかな」

「え、でも」

さすがに返事に困った。確かに、来月から始まる全校の『挨拶《あいさつ》月間』について、クラス内でどう取り組むか、学級委員同士で原案を持ち寄ることになっていた。が、それは委員長と副委員長の仕事のはずだ。しかし、マチがこたえるより早く、琴穂が「マチは書記でしょ」と言う。

「私、マチと違って字がすっごく汚いんだもん。マチが書いてくれた方がみなみたちだって喜ぶよ。お願い。内容もさ、マチが考えたままを書いてくれればいいから」

「困るよ」

「大丈夫、大丈夫。マチならできるって。それに、バスケ部は毎日、朝も夕方も部活があって大変だけど、科学部は水曜と金曜しかないでしょ」

ずきん、と胸の底が痛くなった。先月の終わりに正式に入部しようと決めた科学部は、確かに毎日活動がある部活ではない。だけど、琴穂からは、以前にも副委員長がやるはずだったプリント配布を、同じく部活の忙しさを理由に頼まれ、断れずに引き受けてしまったことがあった。

「ごめん。じゃあ、お願いね」

渡された用紙を、マチはきゅっと指に力を入れて受け取る。断らなきゃ、自分を変えなきゃと思うのに、口はまるで反対に「わかった」と答えてしまっていた。

しばらくして、みなみから「マチ、今日、部活の後でちょっといい？　一緒に帰らない？」と誘われた。

「いいけど、どうして？」

「紙音《しおん》が休んでるから、学校からの連絡事項や、授業のノートのコピーを届けて欲しいって、先生に頼まれたの」

「紙音――、高坂《こうさか》さん？」

「うん」

高坂紙音は、自分たちのクラスメートだが、入学してからずっと学校を休みがちだった。ゴールデンウィーク明けの先週からは、まったく登校してこなくなってしまったので、マチもどうしたのだろうと気になっていた。背中の真ん中あたりまである長い髪が印象的な、少しミステリアスな雰囲気《ふんいき》の大人《おとな》っぽい子だ。

「本当は委員長と副委員長で行った方がいいから琴穂を誘ったんだけど、部活が遅くなりそうで、今日はどうしても抜けられないって断られちゃったんだ。だから、かわりにマチにつきあってもらえないかと思って」

みなみが困り顔になりながら説明する。それから尋ねた。

「紙音とは話したことある?」

「一回だけ」

入学式の日のことだった。

体育館での式を終え、微《かす》かに緊張しながら教室に入って担任の先生を待っているときに、「塚原さん」と声をかけられた。知らない子だったから驚いたけど、そっと近づいてきて「スカートにまだしつけ糸がついてるよ」とこっそり教えてくれた。「え」と呟《つぶや》いて制服のスカートをつまみ、後ろを振り返ると、教えてもらったとおり紺色の布地の合わせ目に、白い糸がバッテンの形で残っていた。

「あ、本当だ。どうしよう」

このまま式に出てしまったんだと思ったら途端に恥ずかしくなり、ほっぺたが熱くなる。あわてるマチを落ち着かせるように、紙音が「切ってあげる」と小さなはさみを筆箱から取り出した。他の人から目立たない場所で、しゃがみこんできれいに糸を引き抜き「これで大丈夫」と微笑んだ。

「ありがとう」と、ほっとしながらお礼を言う。席に戻った紙音の机に、配られたばかりの新クラスの名簿と席表が広げてあった。マチに話しかけるために、名前を確認してくれたのかもしれない。

とてもいい子だな、と思ったので、マチも、紙音のことはよく覚えていた。

「いいよ。一緒に行く」と、みなみに返事をする。


「高坂さん、具合でも悪いの？　もともと体が弱いとか――」

一緒に家まで行く途中、心配になって尋ねると、みなみが小さく首を振った。

「そういうわけじゃないと思う。紙音、小学校では学校を休むことなんてほとんどなかったし」

「そうなんだ。何かあったのかな」

呟くように尋ねると、みなみがしばらく黙った後で「たぶん」と頷《うなず》いた。

紙音の家に着き、玄関のチャイムを鳴らして、ドアフォン越しに用件を伝える。鉄でできた門のある、大きな家だった。門の向こうには芝生《しばふ》の庭も見える。ドアフォンで応対してくれたのは、紙音のお母さんらしかった。門が開き、玄関先に出てきてくれる。紙音に目元がよく似た、きれいな人だ。

「ごめんなさいね、みなみちゃん。せっかく来てもらったのに、紙音、まだ会えなくて」

みなみに挨拶してから、紙音のお母さんがマチを見た。

「クラスメートの塚原マチです」

自己紹介すると、マチにも「ありがとう」と言ってくれた。

「もしよければ、また来てね。二人が来てくれたこと、紙音にも伝えるから」

プリントの束を手渡し、家を後《あと》にする。門の外まで出たところで、ふと足を止めた。

誰かの視線を感じた気がして、とっさに出てきたばかりの紙音の家を振り仰《ふあお》いだ。

二階の部屋の窓に目を向ける。するとマチが見たのとほぼ同時に、窓のカーテンがシャッと引かれた。誰かがいたことを示すように、カーテンが小さく揺れている。

ひょっとして、今のは、紙音がこっちを見ていたんじゃないだろうか。

前を向くと、自分と同じく足を止めていたみなみと目が合った。そのまま、互いに何も言わずに歩き出す。

「紙音、早く学校に来るといいね」

家から離れたところで、みなみがポツリと言った。

世界のひろがり

チャイムが鳴り、「そこまで」という先生の声がした瞬間、それまでピンと張りつめていた教室の空気が一気にふっとゆるんだ。

「あー。あそこの問題、昨日《きのう》覚えたばっかりだったのに」

いつも通り元気のいい恒河が、悔《くや》しそうに言う。

初めての中間テスト。

最後の教科である理科の答案用紙が、後ろの席から順に前へ送られてくる。マチも自分の分を裏返し、上に重ねた。

教室の中は、恒河のように結果を残念がる声や、ようやくテストが終わった解放感からの笑顔《えがお》にあふれていた。マチの肩からも力が抜ける。中学校のテストは、小学校までのものとはまったく違った。さっきまで、咳《せき》ばらいひとつできないような静けさで、座っていてもいつもよりずっと窮屈《きゆうくつ》だった。

解答用紙を集め終えた先生が数を確認し、起立、礼の号令を日直がかける。

先生が出ていくと、教室内がさらに騒《さわ》がしくなった。みんな、あちこちで「どうだった？」とか「あそこの答え、なんて書いた？」と話し合っている。

筆箱と下敷きをしまっていると、近くの席で友達と話していた琴穂が、「マチ」と話しかけてきた。

「できた？」

「全然《ぜんぜん》」

本当は、始まる前までかなり緊張していたものの、どの教科もテストが始まってしまえば、集中して取り組むことができた。授業でやったこと、試験対策に勉強したことを落ち着いて思い出せば、自信がないところはあるものの、答えられない問題はほとんどなかった。

答えたマチを、琴穂がふざけ調子に軽く睨《にら》んだ。

「嘘《うそ》ばっかり。そんなこと言って、本当はできたんでしょ。マチはいっつもそうだもんね」

とっさに黙ってしまう。琴穂が友達に「マチはうちの小学校で一番て言っていいくらい成績がよかったんだよ」と説明する。その子が「そうなんだ、すごいね。じゃ、今回も一番かもね」と言うのを聞きながら、マチは急いで首を振った。

「すごくなんかないよ」

琴穂に言われた『嘘ばっかり』という言葉が、胸を微《かす》かに苦しくする。どう返事すればよかったのか、わからなかった。

そのとき、横からみなみが話しかけてきた。

「マチ、今日図書室行く？　私、今日からまた部活が始まるから、もし行くなら本をかわりに返してもらってもいい？」

「あ、うん。いいよ」

試験期間に入って、この一週間休みに入っていた部活動が、今日から再開される。琴穂も「あー、そうか。今日からまた部活だ」と大きく右手を上げ、伸びをした。そのまま、今度はみなみに尋ねる。

「みなみはテストどうだった？」

「まあまあ。思ってたほど難しくなくてよかった」

「そう？　私は難しかったよー。いいなあ」

「もう。琴穂、あんまり勉強しなかったんでしょ？」

堂々と琴穂を見つめ返すみなみの顔にドキンとする。どうしてみなみはこんなふうに自然なんだろう。私はそういうふうにできないんだろう。テストができたのはいいことのはずなのに、なんだか恥ずかしく、そのことを隠してしまいたいとすら思ってしまうのはなぜなんだろう。

琴穂たちが席に戻ってしまってから、みなみが「じゃ、これお願い」と図書室の本を差し出してきた。この間、マチが薦《すす》めた『モンテ・クリスト伯』だ。

「マチが言ったとおり本当に面白《おもしろ》かったよ。ありがとう」

さっきまで沈んでいた心が、その一言でふわっと浮き立つ。

「すぐに借りてくれたんだ？」

「うん。他にも面白いのあったらどんどん教えて」

みなみがにっこりとマチに微笑《ほほえ》みかけた。


図書室に行くのは久しぶりだった。

テストが終わるまでは、と行くのを我慢《がまん》していたせいで読みたい本がたまっている。図書室のドアを開けて本や紙の匂いをかいだ途端《とたん》、気持ちがはしゃいだ。

本を返却《へんきゃく》し、何を借りようかと棚を見ていると、ふと『黒い兄弟』に目がとまった。そっと手に取って、後ろの貸し出し記録カードを確認する。マチが返して以来、誰も新しく借りた人はいないようだった。『サクラチル』の紙は、はさんだままになっている。

誰が書いたんだろう。気になるけど、たまたま何かの拍子《ひょうし》で紙が入ってしまっただけかもしれない。

その日は、『続あしながおじさん』を借りることにした。大好きな『あしながおじさん』の続き。これまでの主人公ジューディの友達だったサリーが今度は主人公になるのだと何かで読んでから、ずっと読むのを楽しみにしていた。

ページをパラパラめくる。途中のページで手が止まり、「あっ」と声が上がりそうになった。——また、紙がはさまっている。『黒い兄弟』にはさんであったのと同じ、細長い便せん。それだけでも驚いたけど、内容の方に、もっと目が引きつけられる。

『みんなが自分を見て、笑っている気がする。どうして、みんなにはっきり自分のことが話せないんだろう。』

筆跡《ひっせき》が、前の『サクラチル』のときのものとよく似ていた。鉛筆の濃さも、ほぼ一緒だ。

——みんなにはっきり自分のことが話せない。

まるで自分のことを言われたようだった。あわてて貸し出し記録カードを確認するが、一番新しい日付は、マチが入学する前、去年の秋のもので、相手はすでに卒業した、当時の三年生だ。『黒い兄弟』の方の記録カードも引っ張り出し、見比べるけど、二つに共通する名前はない。メモをはさんだ相手は、今回もカードに名前を書いていないのかもしれない。

胸がドキドキしていた。

『黒い兄弟』の貸し出し記録カードには、マチと同じ『一年五組』のクラス名を一度書いて消した跡があった。これを書いたのは、自分のクラスメートだろうか。

『続あしながおじさん』を借り、迷ってから、はさんであったメモを抜き取った。自分の心の声とまったく同じ内容だったから、なんとなく、他の人の目に触れさせたくなかった。

家に帰り、机の引き出しにそっとしまう。

科学部では、テスト明けから石けんを作ることになっていた。

科学部の「科学」は主に機械を作ることだと思っていたから、石けんと聞いても最初ピンとこなかった。だけど、水酸化ナトリウムを使った化学式が黒板に書かれているのを見るとわくわくした。授業ではまだ化学式については出てきていないけど、今から自分たちがする石けん作りが一気に専門的な実験になったように思えて、普段《ふだん》見慣れているはずの石けんにぐんと興味が広がる。

材料を溶かし、混ぜ入れ、型に流しこんでから、あとは固まるまで何週間か時間を置く。換気のために窓を開け放しても、理科室には、材料のオリーブオイルやココナッツオイルの匂いが充満していた。後片づけをして、廊下の水道で手を洗っていると、そこから校庭が見えた。

陸上部の様子を今日もつい見てしまう。百メートル用に線が引かれたコースを、ちょうどみなみが走っていた。

「守口さん、がんばってるね」

横で奏人の声がした。マチは彼に顔を向け、道具を洗いながら「うん」と返事をする。

「奏人くんはどうして科学部に入ったの？」

マチがためらいながら入った科学部に、奏人は早い段階から入部を決めていたようだった。奏人が「え？」と一瞬考えてから、「そうだなあ」と話し始めた。

「父さんの影響かも」

「お父さんの？」

「うん。うちの父さん、昔から手先が器用でさ。部屋の棚とか、折り紙とか、小さい頃からいろいろ作ってもらったんだ。俺はそれをずっと発明だと信じてて、父さんを科学者だって思ってたんだよね。——今考えると、家の棚を作るような工作と科学は違うし、おかしいんだけど」

「奏人くんのお父さん、何してる人なの？」

「車のエンジニア。普段はエンジンを作る仕事をしてる」

「へえ！　すごい」

エンジニアは、確か技術者という意味だ。マチには、十分に科学とつながっている仕事に思える。マチの反応を受け、奏人が照れくさそうに「そう？」と微笑んだ。

「だからかな。俺も将来、科学者になりたいって憧《あこが》れたんだ」

答える奏人の顔は、いきいきとして見えた。その表情を見た途端、マチは奏人に謝りたくなった。

運動部と違い、科学部は水曜と金曜しか活動がない。この間、そのことを琴穂に言われてショックだったし、マチ自身も運動部に入る勇気が出なくて、中途半端《ちゅうとはんぱ》な気持ちで科学部に入ってしまったと感じていた。だけど、奏人のように科学部の活動に真剣な人もいるのだ。ひそかに深く、反省《はんせい》する。

ココナッツオイルの匂いがしている。

今日からは、家で石けんを見ても、ただ見るだけじゃなくて、きっと材料や作り方が気になるはずだ。それが、とても楽しい。科学部に入ってよかったと、そのとき初めて思った。

翌週、中間テストの結果が返ってきた。

クラス内での総合順位の欄を、おそるおそる見る。

マチは、一番ではなかった。確認して、思いのほかショックを受けた。

口では強がりのように「できない」と言いながら、本当は小学校までの感覚で、自分でも気づかないうちに期待してしまっていたのだろう。

返ってきた結果の紙をそっと両手で閉じながら、後ろの席のみなみや、廊下側に座る奏人の方をこっそり見る。

このクラスで、誰が一番なのかはわからない。

だけど、運動部に所属しながら成績もよいみなみや、自分と同じ年でもうはっきりした夢を持っている奏人が、同じクラスにいる。

中学校って本当に広い世界なんだ、と心の底でため息をついた。

本当の気持ち

三者面談が終わって「失礼します」と、お母さんが頭を下げる。廊下に用意された椅《い》子《す》に、恒河が座っていた。

「オッス」

マチと目が合うと、挨拶してきた。横に座った彼のお母さんらしい人が、マチたち親子に向け、立ち上がって頭を下げた。

「どうだった？　あー、いいよな。塚原は成績いいもんな。俺と違って」

恒河の声が、心なしかいつもより硬《かた》かった。今から自分の番で緊張しているのかもしれない。

「心配しなくても大丈夫だよ」

マチが言うと、「長沢さん、どうぞ」と、教室の中から先生が呼ぶ声がした。

「じゃあな、塚原」

恒河たち親子が行ってしまってから、「元気な子ね」とお母さんが微笑みかけてきた。

「マチがああいう元気な子と仲がいいとほっとするな」

「うん」と頷いて玄関の方へ歩き始める。マチは下を向き、自分の上履《うわば》きを見つめた。

今さっき、恒河に言われた言葉を思い出す。

——いいよな。塚原は成績いいもんな。

成績か、とため息が出る。確かに、テストの結果も学年の順位もいい方だった。だけど、今日の三者面談で、お母さんが心配そうに、先生に話しかけていた。「先生、うちのマチは引っ込み思案《じあん》で困るんです」と。

思い出したら、胸の奥が微かに重たくなる。

大人《おとな》は「勉強しなさい」「本を読みなさい」と口では言いながら、恒河や琴穂のように外でみんなと遊ぶ子を見て本当はほっとしてるんじゃないかな、と少し悲しい気分になる。いいよな、と恒河からは言われたけど、マチはその恒河のことが羨《うらや》ましくてたまらなかった。

「お母さん、私、図書室に本返してきてもいい？　すぐに戻るから」

「あら。じゃあ、校庭にとめた車のところで待ってるわね」

「うん」

図書室に行き、借りた本を返却してから本棚に行く。今日借りる本はもう決まっていた。エンデの『はてしない物語』だ。

この本を借りるのは、小学校の頃から数えて四回目だ。大好きな本だった。主人公バスチアンの冒険を読むと、昔から、どんなに落ちこんだときでも元気になれた。

ずっしりと重い本のページをめくる途中、手が止まった。何かはさまっている。気づいた瞬間、ドキッとした。まさか、また――。

中から出てきたのは、『黒い兄弟』、『続あしながおじさん』にはさまっていたのと同じ細長い便せんだった。あのメモ！　内容は、今回は一行きりだ。

『人にはそれぞれ、向き不向きがあると思う。』

見た瞬間、息がつまった。何度も読む。まるで、今の自分の気持ちそのもののような気がした。勉強が得意な子、苦手な子、運動ができる子、できない子。メモに書かれた

『向き不向き』の言葉が心に突《つ》き刺《さ》さる。

メモをはさんだまま本を借り、お母さんの待つ校庭に急ぐ。

その日、マチは思いきって、自分も『はてしない物語』の中にメモを残してみることにした。ドキドキする。お風呂上がりの自分の部屋で、本を開く。

『私もそう思うよ。』

一行だけ書き、最初にメモを見つけたページにはさむ。こうすれば、自分の返事が、メモを書いている相手に届くかもしれない。「誰か」が書いた最初のメモは、また自分の机の中にしまった。

本を返却すると、マチは図書室に行くのが今まで以上に楽しみになった。相手は、マチの言葉を読んだだろうか。新しい返事が、もし向こうから来ていたら……。想像するだけでわくわくしたが、翌日も、その翌日も、何度めくってもメモは残されたままだった。マチの返事は届かなかったのだ。

がっかりしたが、仕方ないのかもしれない。一度読んだ本なのだったら、しばらくは借りないだろう。相手が次に借りる本がわかればいいのに、と残念だった。

夏休みまで、あと一週間。

テストも三者面談も終わった後の教室は、一日ごとに暑さを増していくように思えた。

「夏休みだからって、気を抜かないようにな。小学校より宿題も多いぞ」

帰りのホームルーム。先生の脅《おど》かすような言葉に、男子たちを中心に「えー」とざわめきが起こる。各教科の先生たちからは、授業の中でも宿題についての話が出始めていた。

国語の読書感想文や、理科や社会科の自由研究。自由研究は、クラスで四人までならグループで一緒にやってもいいことになっているが、みんなどうするのだろう。

「マチ、自由研究、私たちでやらない？」

ホームルームが終わり、部活に行こうとしたところで、みなみに呼び止められた。後ろに、恒河と奏人の姿がある。マチは驚き、それからすぐに頷《うなず》いた。

「うん。私も何をやろうか迷ってるとこだったから、誘ってくれて嬉しい。恒河くんたちも一緒？」

「俺が頼んだんだ」

そう言ったのは、意外にも奏人だった。

「恒河に一緒にやろうって言われて、それなら、塚原と守口を誘ったらどうかって話した。恒河と二人だと、俺が全部やらされるの目に見えてるから」

「あ、ひでえな。奏人」

恒河が顔をしかめる。思わず笑ってしまい、それから、すごくいいと思った。休みの間も、みなみや恒河、奏人に会える。

「何をするかはまだ決めてないんだけど、とりあえず夏休みに入ったらすぐに一度集まろうよ。それまでに各自で研究テーマを考えてくる。どう？」

「いいね」

「おう、まかせろ！」

みなみの言葉に、奏人と恒河がそれぞれ頷く。威勢よく返事をした恒河を見て、みなみがマチにこっそり「あいつ、昔から返事だけはいいんだよ」と苦笑しながら教えてくれた。

「マチのこと、頼りにしてるからよろしくね」

「まかせて」

マチも恒河を真似《まね》して少しだけ胸を張り、頷いた。

放課後の科学部で、休みの間の活動日がいつになるか、先生が黒板に書いて説明するのをメモする。これまで十分楽しみだった夏休みが、さらに楽しみになってくる。

部活が終わり、玄関で靴を履いていると、琴穂がそばを通りかかった。マチの姿を見つけ、「あ、マチ。ちょうどよかった」と声をかけてくる。

「ねえ、マチ、夏休みの自由研究、誰とやるか決めた？　私とやらない？」

「あ、ごめん。私、みなみちゃんたちとやるんだ」

謝ると、琴穂が「あ、そうなんだ」と声のトーンを低くした。

「うん。本当にごめん。自由研究、確か四人までしか一緒にできないから……」

「あ、いいよいいよ。大丈夫。他の子とやるから。だけど残念だな。マチだったら頭がいいし、一緒にやればすごくいいのができそうだったのに」

「……うん」

頷きながら、ふいに、琴穂に頼まれた学級会の原案作りのことを思い出した。字がうまいから、頭がいいから。そうやって頼まれることが増《ふ》えていく。

(琴穂が私と自由研究をしたいのは、私のことが好きだからかな。それとも……)

胸にちらっと影のようなものが横切る。

(……私なら、琴穂の分までやるって思われてるからなのかな)

嫌な考え方だった。唇を軽くかんで、頭の中からその考えを追い出そうとしていると、
琴穂が「他には、誰と一緒にやるの?」と尋ねてきた。

「恒河くんと奏人くん」

「やっぱり、みなみと恒河って一緒にやるんだ!」

琴穂の目が見開かれた。マチが首を傾《かし》げると、琴穂がさらに続ける。

「ね。噂《うわさ》通り、あの二人ってつきあってるんでしょ?」

「え」

思ってもみなかった。

確かに、中学に入ってから、周《まわ》りで誰かがつきあい始めたという話はよく聞くように
なった。けれど、それは自分にはまだ関係のない別の世界の出来事のように感じていた。

「わかんない」

「え、マチ、あんなに仲いいのに知らないの?」

「うん」

みなみと恒河は確かに仲がいい。つきあっていたとしてもおかしくない。——だけど、みなみはマチに何も教えてくれていないのだろうかと考えたら、胸の真ん中にぽかっと穴が空《あ》いたような気がした。寂しいような、置いてけぼりをくったような気持ちになる。あいまいに微笑んで、琴穂と別れる。「また、明日ね」と言う声が、自分でもはっきりわかるくらい、元気がなかった。


次の日の休み時間に、マチはみなみと図書室に行った。普段は一冊しか借りることができない本が、夏休み前は、特別に三冊借りてもいいことになっている。

二人で本を選びながらも、頭の中は、昨日琴穂から聞いたことでいっぱいだった。みなみに直接聞いてみたい。だけど一方で、それは、友達の秘密を強引《ごういん》に暴《あば》いてしまうことのような気もして、後ろめたかった。

「私、『モンテ・クリスト伯』の続きを借りてくよ。マチは?」

「私は……」

みなみに急に尋ねられ、背筋が伸びた。選んだ本を見せる。カフカの『変身』、SF小説の『夏への扉《とびら》』、『ナルニア国ものがたり』一巻の『ライオンと魔女』。みなみが「へえ」と目を丸くする。

「私、その中だと『ライオンと魔女』しか読んだことない。他の、面白かったら教えてね」

「うん」

貸し出しカードを書くために、机に座る。本をそれぞれ開いて確認していると、「あっ」と声が出そうになった。

三冊のうち二冊に、例の、あのメモがはさまっている。

一冊は『夏への扉』、もう一冊は、みなみが今読んだことがあると言った『ライオンと魔女』だ。

あわてて、内容を読む。紙は、いつもと同じ細長い便せんに書かれていた。

『がんばってれば、見ててくれるかな。』

『誰も、気づかない。』

三冊のうち二冊もだなんて、読みたいと思う本の趣味がきっと私と似ているんだ！　考えたら、心がくすぐられる思いがした。しかし、書かれた文章がどことなく寂《さび》しい気がする。そういえば、この間のメモもそうだった。

メモを戻し、貸し出しカードを書こうとして、はっとした。メモがはさんであった二冊の本を借りた人の中に、共通している名前がある。それも、マチのすぐ上、一番最近の欄《らん》に。

『一年五組　海野奏人』

借りた日付はそれぞれ、『夏への扉』が一ヵ月、『ライオンと魔女』が一週間ほど前だ。この後も、名前を書かない誰かが借りた可能性はもちろんある。実際、この間までメモがはさまれていた本には、奏人の名前はなかった。——しかし、これは偶然《ぐうぜん》だろうか？

「マチ、どうかした？」

みなみの声がして、はっと我に返る。弾《はじ》かれたように顔を上げ「何でもない」と答えた。

夏とタイムマシン

蟬《せみ》の鳴き声が聞こえる坂道を自転車でこぐと、額《ひたい》ににじんだ汗が目の横を通って頰《ほお》まですべり落ちた。

夏だ。ペダルをこぐ足を止めたら、それ以上は暑さにもう動けなくなってしまう気がして、歯を食いしばって空を仰《あお》ぐ。頭上の街路樹の間から黄色とオレンジの中間の色をした太陽が、地上を照らしている。

坂をのぼり終えた先にある公民館の前で、すでにみなみと恒河が待っていた。自転車で近づくマチに気づき、二人がこっちを見る。

「マチ！」

学校の制服姿と違って、白とブルーの爽《さわ》やかなマリンカラーのキャミソールにショートパンツ姿のみなみが大人っぽく見えた。横で「おう」と挨拶する恒河もTシャツとジーンズだった。

「おはよう」

自転車を降り、額の汗をぬぐいながら近づいていく。みなみが微笑む。

「場所、すぐにわかった？」

「うん」

自由研究のために集まる初日だった。それぞれの部活がない日を合わせ、テーマを何にするかを話し合う。場所は奏人の家だ。夏休みに入る前、奏人が「うちを使っていいよ」と申し出てくれたのだ。

「奏人くんの家、ここから近いの？」

「すぐすぐ。俺《おれ》、昔っからよく行って遊んでる」

熱くなった首筋を手でぱたぱたとあおぎながら「暑いね」と呟く。再び自転車に乗ってこぎ出すとき、みなみが「マチのブラウス、かわいいね」と褒《ほ》めてくれた。

「制服以外で会うの、そういえば初めてだね」

「うん。不思議《ふしぎ》な感じ」

照れくさく、だけど、新鮮《しんせん》で楽しい。

訪ねていった奏人の家で玄関チャイムを鳴らすと、奏人がグレーのTシャツの上に、淡いブルーのシャツをさらりと合わせたスタイルで現れた。見て、ドキッとした。同じ男子の私服でも、恒河より落ち着いた印象だ。学校の外で会うのは、奏人とも初めてだ。急に距離が近づいたように思えて、妙に気恥ずかしかった。

「自由研究のテーマ、何やりたいか考えてきた？」

みなみの声に、全員が顔を見合わせる。コップに注いだ麦茶を奏人がそれぞれの前に置いていく。「俺、何でもいい」と恒河が言った。

「どうせなら、楽しい方がいいけど」

「やる気があるんだかないんだかわかんない意見だね」

みなみが苦笑する。ふいに奏人が「塚原は？」とマチの顔を覗《のぞ》きこんだ。

「私？」

「うん。塚原、すごくたくさん本読んでるし、いろんなことに詳《くわ》しいんじゃないかと思って。何かやりたいこととか、今興味があることない？」

「私は、別に……」

とっさに言いかけて、声を止めた。

これまでだったら「特にないよ」と答えてしまった場面だ。自分の発言のせいでみんなのテーマが決まってしまったらと考えると、ためらう気持ちが先に立って、なかなか意見が言えなかった。賛成されるのも、反対されるのも怖《こわ》かったのだ。

だけど、今ここにいるのは、みなみと、恒河と、それに奏人だ。このメンバーの中でなら、話しても、怖くない気がした。

「たとえば――、タイムマシンに関することなんかどうかな？」

「タイムマシン？　タイムマシンって、あの、マンガとか映画に出てくるヤツ？」

恒河が聞き返す。声が大きいけど、嫌なところのない言い方だった。安心して続けられる。

「うん。今読んでる小説が、ハインラインっていう人の書いた『夏への扉』っていう本なんだけど、すごく面白いんだ」

「ああ」

奏人が頷く。それを見て、マチは夏休み前に図書室で借りた『夏への扉』の貸し出しカードに奏人の名前が入っていたことを思い出した。そして、その中に、あの、四月からずっと気になっていたメモがはさまれていたことも。

「『夏への扉』なら俺も読んだことある。確かにあれ、時間を扱ったSF小説だよね」

「うん。タイムマシンって、普通、それに乗りこんで自分の好きな時代に自由に行き来できるものだって思ってたんだけど、『夏への扉』に最初出てくる未来への行き方にびっくりしたんだ。——自分自身がコールド・スリープっていう、仮死《かし》状態の長い冬眠みたいなものに入るの。年を取らない姿のまま、何十年も経《た》ってから起きる。結果的には未来に移動したことになるの。眠りながら未来を待つ、こんな形のタイムトラベルがあるんだって衝撃《しょうげき》を受けて、すごく、面白く感じたの」

「なるほどねえ」

奏人が頷く。

「確かに俺も読んだとき、タイムマシンは、こういう形だったら将来的に可能になるかもしれないって思った覚えがある」

「そう、だからたとえば、私たちの研究テーマは『タイムマシンは可能かどうか』なんてどうかな？」

奏人が真面目な顔で「うーん」と腕組《うでぐ》みをする。

「それは、どうだろう。自由自在に操作して移動する乗り物としてのタイムマシンは、やっぱり難《むずか》しいんじゃないかな。『夏への扉』の中には、確かに過去に戻るタイムトラベルの方法も出てくるけど……」

「いいじゃん！　やろうぜ」

意外にも、恒河が賛成の声を上げた。奏人もマチも、話を中断して恒河の顔を見る。

「俺、タイムマシン、できると思うよ。だってさ、テレビだってケイタイだって、大昔の人からしてみたら、絶対に無理だって思うようなものばっかじゃん。タイムマシンも、無理ならどう無理なのか調べようぜ」

「――じゃあ、決まりね」

みなみがにっこり笑ってマチを見た。

研究は、学校の図書室や市立図書館で本を調べ、まとめていくことにした。集まる時間は、基本的にみなみや恒河の部活が終わった後の昼下がりの時間帯。模造紙《もぞうし》やレポート用紙にまとめる作業は、奏人の家を使わせてもらうことになった。

研究がだいぶ進んだある日、みなみと恒河が部活のために遅刻し、マチは奏人と作業しながら、二人を待った。

「お茶を持ってくる」

奏人が出て行った後の彼の部屋で、マチはふと本棚を眺めた。改めて見ると、すごくたくさんの本がある。奏人も自分と同じようにきっと昔から本が好きなのだろう。

台所から、やかんのお湯が沸く、ヒュウッという音がした。やがて戻ってきた奏人が、本棚の前のマチに気づいて、声をかけてくる。

「その本、父さんがもともと持ってたやつをもらったのがほとんどなんだ。何か読みたいのあったら貸すよ。塚原は読んだことあるのばっかりかもしれないけど」

「そんなことない。ありがとう」

みなみと恒河が合流し、四人で顔をつきあわせてまとめを書いていく。手分けしてやった調べ物は難しい用語も多かった。研究の後半、奏人がアインシュタインの相対性理論《そうたいせいりろん》についての本を持ってきたので、驚いてしまう。

「よく読んでも、まだ全然理解できないんだけど、タイムマシンの理論には必要になるみたいだから」

本の中そのままの言葉では到底《とうてい》わからないことについても、奏人がもっと簡単な言葉に置《お》き換《か》えて説明してくれて、マチたちはみな、感心してしまった。

と、奏人がノートに書いた字に、マチの目が釘《くぎ》づけになった。それは、『どうやって』という字だった。その『どう』の部分。――図書室で見つけたあのメモの中にあった『どうして』という字に、似ていた。

気づいて、はっとする。

奏人の字は丁寧《ていねい》で、男子のものとは思えないほど几帳面《きちょうめん》に整っている。メモがはさまれていた本の貸し出しカードに、奏人の名前が二冊分もあったことを思い出すと、頭の中に、ある考えがひらめいた。

ひょっとして、あのメモを書いてるのは奏人なのではないだろうか。

マチの好きな本を先回りするようにすでに借りて読んでいる〝誰か〟。メモをはさむ〝誰か〟。クラスの中で、自分のような本好きは、今のところ彼くらいしか思いつかない。みなみとは、一学期にいろんな本の話をしたけれど、それでもマチの方がたくさん読んでいて詳しかった。

胸の奥がざわざわと騒《さわ》いだ。だけど、その日はもう奏人と二人きりになれる機会はなく、結局、何も聞けなかった。

奏人に送り出されて家を出るとき、マチは自転車にまたがって彼の家を振り返った。呟《つぶや》くように、声が出た。

「いつもいつも、遅い時間まで奏人くんの家を使わせてもらって悪かったな」

「奏人の家って、夜遅くまであいつ以外誰もいないんだよ」

恒河が答えた。

「奏人の父さん、単身赴任《たんしんふにん》で遠くに住んでてたまにしか会えないみたいだし、あいつ、普段は母さんと二人暮らしなんだ。その母さんも仕事が忙しいらしくて、あいつ、夏休みの間、昼飯、自分で作ってるくらいだし」

「そうなの？」

驚いてしまう。と同時に、奏人の部屋で聞いたやかんの沸くヒュウッという音を思い出した。いつも奏人がいれてくれる冷たい麦茶はひょっとして彼が作っておいてくれたのかもしれない。マチのうちも夏の間、いつでも飲めるように冷蔵庫にお茶が冷えているが、それを作るのはいつでもお母さんだ。マチは自分ではお昼ご飯も、麦茶も、作ったことがない。

夏休み、長い時間一緒にいたと思ったのに、奏人はマチたちに家の事情を何も感じさせなかった。唐突《とうとつ》に、本のメモにあった『がんばってれば、見ててくれるかな』の言葉が胸に押し寄せる。

科学部に入っているのは、科学者だと思っていたお父さんの影響だということ、本棚の本はお父さんにもらったのだと話していた奏人が、普段、お父さんと離れて暮らしていたなんて、思いもよらなかった。

あのメモの主《ぬし》は本当に奏人かもしれない。

マチは唇《くちびる》をきゅっと引き結んだ。

「ねえ、マチ。この後、ちょっと紙音の家に寄っていかない？」

帰り道の途中、恒河とも別れた後で、みなみから言われた。

「紙音、なかなか出てきてくれないんだけど、マチも一緒に来てくれると喜ぶと思うんだ」

最初に家を訪《たず》ねたあの日以降も、みなみはずっと紙音の家に行っていたらしい。先生に頼まれたわけでも、プリントを届けに行くわけでもない夏休み中も自分から行動できるみなみは、やっぱりすごい。マチは「もちろん行くよ」と答えた。

「二学期からは私もできるだけ一緒に行きたい。また声かけてくれる？」

「ありがとう」

紙音の家に向かう途中、みなみが「ねえ」と少し言いづらそうに声をかけてきた。

「一学期から聞こうと思ってたんだけど――、ひょっとして、学級委員の仕事、琴穂に押しつけられたりしてない？」

心臓がドクン、と打ちつける。しかし……。

「そんなことないよ」

つい、答えてしまった。本当は、琴穂からの頼まれ事に困ったことがかなりたくさんあった。だけど、それを言うのは告げ口をしてしまうようで嫌だった。何より、断りきれない自分のことが情《なさ》けなくて、みなみに知られたくなかった。

俯《うつむ》いたマチに、みなみが「ならいいけど……」と答える。だけどまだ、気になる様子だ。「本当に、大丈夫だよ」と答え、話をそらそうとしたら、一学期の終わり、琴穂に聞かれてショックを受けた話題が頭をかすめた。

みなみと恒河。二人がつきあっているのかどうか。

この夏休み中、ずっと一緒に課題に取り組んできたけど、二人とも相変わらずマチには何も教えてくれていない。ずっと聞きたくて、だけど胸にしまいこんできた。

「――みなみちゃんって恒河くんとつきあってるの？」

思いきって聞くと、みなみがきょとんとした表情を浮かべた。聞いたことを後悔し、あわてて声を引っこめようとしたところで、みなみが拍子抜《ひょうしぬ》けするように明るい声で笑い出した。

「つきあってないよ。それなら聞くけど、奏人とつきあってる？」

「え」

予想外の問いかけに目を瞬《しばたた》く。みなみがなおも尋ねた。

「どうなの？」

「違うよ。つきあってないけど、……どうして？」

「そういう噂があって」

みなみが微かに笑う。

「もし、マチが私になんにも教えてくれてないんだとしたら寂しいなって思ってたんだ」

「そんな」

そう思っていたのは、マチの方だ。まさかみなみも同じ気持ちでいたなんて。みなみが「よかった」と口元をほころばせる。

「確かに学年内でつきあってる子もいるけど、自分のペースでいいんじゃないかな。焦《あせ》ったり、寂しく思わなくても、私たちはいいよ」

「うん」

呼吸が急に楽になった。「だけどもし、好きな人や彼氏ができたら教えてね」とみなみがまた笑う。

「それに、マチと奏人の噂を聞いたとき、すごく似合うなって思ったし」

「そんなことないよ」

首を振ると、顔が真っ赤になったのが実感できた。二人で微笑み合う。

みなみと、恒河と、そして、奏人。

このメンバーで、中学校最初の夏が過ごせてよかった。

タイムマシンが可能かどうか。マチたちの研究が終わった後も、科学や技術はさらに進んで、いつか時間を跳《と》ぶことが、自分たちにも可能になる時代がくるかもしれない。

そのとき、マチは今年の夏を懐《なつ》かしく思い出すかもしれない。戻りたいと思うかどうかはわからないけど、この夏はそれぐらいキラキラと輝《かがや》く思い出になって胸の中にしまわれそうな、そんな予感《よかん》がした。

図書室の文通

新学期になると、十月の文化祭に向けた準備が始まった。

夏の間に日焼けした顔ぶれが教室にそろう中、委員長であるみなみが文化祭の出し物について、意見をまとめていく。クラスごと、一日目のステージ発表か、二日目に行う教室展示のどちらかを選ぶことになっているのだ。

「では、五組はステージ発表でいいですか。内容は合唱、曲目は『遠い日の歌』」

みなみが告げた声に拍手が起こる。

『遠い日の歌』は、一学期に音楽の授業で歌ったものだった。パッヘルベルの『カノン』をモチーフにした旋律《せんりつ》が美しい、マチも大好きな曲だ。

普段、音楽の授業で分かれているパートごと、文化祭まで練習することになった。マチはソプラノ、みなみはアルトで分かれてしまうが、マチと同じソプラノグループには琴穂もいる。

学級会の終わりに、それぞれが固まってグループのリーダーを決める。

「誰かやりたい人いない？」

ソプラノパートで、琴穂と仲のいいグループの子たちがみんなを見回して尋ねる。横で話し合っていたアルトグループは、早くもみなみがリーダーに選ばれた様子だった。しかし、マチたちのソプラノはみんな互いに顔を見合わせるだけで、誰の立候補もない。

「どうする？」

「じゃんけんで決める？」

そろそろ時間がなくなる。押しつけ合いのような気まずい沈黙が流れた。そのとき――。

「私、やるよ」

琴穂がすっと手を挙げて、それを境に空気がほっと軽くなる。

「本当？　助かる」

「ありがとう、琴穂」

「うん」

かけられる声を受け止めながら、琴穂がこくりと頷いた。

夏休みの間に借りた本を図書室に返却する。『ナルニア国ものがたり』の一巻『ライオンと魔女』を返すとき、ふと、中にはさまれていたメッセージがまた気にかかった。あのメモは、また抜き出して、マチの部屋の引き出しにしまってある。

あの後で、何度も何度も、くり返し文字を目で追った。その字はやはり、夏の間ずっと一緒にノートを広げていた奏人のものと似ていた。『ライオンと魔女』にはさんであったメモの内容は『誰も、気づかない。』だ。

まるで、助けを求める声に感じる。

奏人に確かめようかと、何度も考えた。だけど、文章の持つ切実な響きを考えたら、簡単に聞いてはいけない気がして、まだできていない。やはり直接聞くよりも、このメモに返事を書いた方がいい気がした。どうにかして相手に思いを伝えることはできないだろうか。

返却した『ライオンと魔女』が、図書委員の手で棚に戻される。――その背表紙を見て、はっと気づくことがあった。

『ライオンと魔女』は、『ナルニア国ものがたり』の一巻だ。横には、二巻『カスピアン王子のつのぶえ』、三巻『朝びらき丸　東の海へ』と本が続く。全部で、七巻。

もしもマチだったら、一巻を借りた本は続きを借りようと思うはずだ。

考えるより先に、体が動いた。今度こそ、という思いを込めて、いちかばちかで返事のメモを書く。そして、『ナルニア国ものがたり』二巻、『カスピアン王子のつのぶえ』にはさむ。単なるメモではなく、これは見えない相手に対する手紙だ。『誰も、気づかない。』という声に対する、マチの返答だ。

『私は春からずっと気づいています。あなたはだれですか。好きな本が私と同じで、いつも気になっていました。』

どうか、借りてくれますように。

祈るような気持ちで、本を棚に戻した。

次の日の休み時間、期待が半分、きっと今回もダメだろうという諦《あきら》めが半分ずつ、入りみだれた気持ちで図書室に向かう。すると、『ナルニア国ものがたり』の二巻と三巻が消えていた！

本棚の前でマチは息を呑みこんだ。別の誰かが借りていった可能性もあるけれど、あのメモの主が、今度こそ借りていったのかもしれない。

その日から、マチは朝と放課後、これまで以上に熱心に、図書室に足を運ぶようになった。朝、文化祭の合唱練習が終わった後で一度。放課後も必ず、棚だけは確認する。

二学期から、みなみが紙音の家にまた誘ってくれるようになった。みなみは毎日のように行っているらしいが、「マチはもともと家が反対方向だから」と一週間に一度程度だ。そんな日は、必ずみなみと一緒に図書室に寄ってから帰る。

「マチは本当に本が好きだよね」

夏休みに調べ物で出入りするようになってから、みなみとは図書室で過ごす時間もこれまでよりぐっと増えた。一緒にいて沈黙が怖くない、同じ部屋で互いに本を読んでいてもいいと思える友達ができたのはマチにとっては初めてで、とても嬉しく幸せなことだった。

『ナルニア国ものがたり』二、三巻が返却されたのは、その翌週のことだった。

合唱のソプラノパートの練習が終わって、ホームルームが始まるまでの短い時間に図書室に走ると、目指す棚の前にみなみが立っていた。

「あ」

驚いて立ち尽くす。後ろ姿をこっちに向けていたみなみが、入り口のマチに気づいて振り返った。

「マチ」

「みなみちゃんも、本、借りにきたの？」

「うん。まあ、そんなとこ」

放課後ならいざ知らず、朝の図書室でみなみに会うのは初めてだ。——一瞬、ドキリとした。ドアを開けたとき、みなみの手が『ナルニア国ものがたり』二巻、『カスピアン王子のつのぶえ』を持っていたように見えたのだ。

近づくと、今はその手には何もない。本を棚に戻したからか、それとも、最初から何も持っていなかったからなのか。どちらかはわからなかった。

「先に戻ってるね」

みなみが言って、教室に戻っていく。本を借りにきたと言ったのに、何も借りないで出て行った。少し気になったが、今はそれよりも返却された二、三巻を見てみたくてたまらなかった。

二巻を開くと、マチがはさんだメモは、どうなっただろう。

三巻を開く。するとそこに、新しいメモがはさまっていた。前と同じ、細長い便せんに一行。しかし、その内容はこれまでとはまったく違っていた。

『驚きました。好きな本が同じって、どれのことですか。』

いつものようなひとり言ではなく、それははっきりと、マチへの返事だった。思わず手を握《にぎ》り締《し》める。急いでまた、返事を書いた。もちろん、今度は四巻にはさむためだ。

『見つけた本は「黒い兄弟」、「続あしながおじさん」、「夏への扉」、「ライオンと魔女」です。どうしてメモを書いてるの？　宝探しみたいで、一学期は本を借りるたび、さがして見つけるのが楽しみでした。』

借りられていた本の貸し出しカードの名前をチェックすると、そこには誰の名前も増えていなかった。やはり、メモの相手は借りた本であっても名前を記入しないのだ。記録しないで黙って本を借りることがいいこととは必ずしも思えなかったが、何か事情があるのかもしれない。そう思ったら、その事情も知りたくてたまらなくなる。

翌日すぐ、今度は放課後の図書室で五巻に返事がはさまっていた。四巻にはさんだマチのメモは消えている。

『人に言えないことも、メモだったら書けるから。』

まるで文通のようだった。最初は一週間かかったやりとりも、一日か二日で返事がくる。しかし、『ナルニア国ものがたり』は七巻『さいごの戦い』で完結してしまう。そうなれば、もうそれ以上はメモをはさめる本がない。祈るような気持ちで六巻に、こうはさんだ。

『次で最後の巻だけど、私はもっと、話したいです。』

七巻の返事は、次の日にすぐ来た。その内容を見た瞬間、マチはわあっと自分の胸にあたたかい気持ちが広がるのを感じた。

『次は百科事典でどう？』

急いで事典のコーナーに急ぐ。びっしりと並んだ本の列。――おそらく、この図書室で一番巻数があるのは、ここなのだ。メモの相手は、この文通をマチと同じように楽しみ、長く続けたいと思ってくれている。

『百科事典』の一巻目を開く。中のメモには、『見つけてくれてありがとう。また返事をください。』とあった。

文化祭では、クラス合唱の他に、部ごとの活動もある。科学部でも活動内容の展示をすることになった。一学期に作った石けんや、活動内容を飾る。

作業中、広げた模造紙に文章を書いていると「手伝おうか？」と後ろから奏人の声がした。彼が横に並び、マチが書いた文字をマジックでなぞっていく。

図書室のメモを書いているのは彼なのではないかという思いは、相変わらずマチの中にくすぶりつづけている。だとすれば、マチの字を見て、奏人は文通の相手が自分だと気づいてしまうのではないか。それを知って欲しいような、知られるのが恥ずかしいような気持ちで作業を続けるが、奏人は何も言ってこなかった。

「『ナルニア国ものがたり』、読んだことある？」

奏人がどんな反応を見せるのか気になって、尋ねてしまう。彼が一学期に『ライオンと魔女』を借りたことは、貸し出しカードですでに名前を見て知っている。奏人は表情も変えずに答えた。

「うん。小学校の頃に。うちにもあるんだけど、本棚で見なかった？」

「え」

「この間読み返そうと思ったら一巻だけ見当たらなくて図書室で借りたんだけど、二巻からはうちにもそろってるよ。読みたいなら貸そうか？」

「……大丈夫。図書室で、借りてるから」

マチがそうこたえても、奏人は「そっか」とあっさり頷いただけで、特別な反応はなかった。

奏人が借りたのは、一巻だけ。

二巻目からが家にあるのなら、図書室で借りる必要はないのではないか——。

気づいて、はっとした。あのメモの主は、奏人ではないのだろうか。

遠い日の歌

人はただ　風の中を　迷いながら　歩き続ける

足を肩幅に開いて床にしっかりつけ、声を出すが、朝の練習はまだ体が完全には声を出す態勢に入っていないのか、歌っている最中でも、自分たちの声が出ていないのがわかった。

文化祭で歌う『遠い日の歌』の、ソプラノのパート練習。

オルガンで音を取りながら、一度通して歌い、二度目の練習に入る。すると、途中で、教室の後ろのドアが開いて、ソプラノのパートリーダーである琴穂が顔を出した。

「ごめん！　部活の片づけで遅れちゃった」

オルガンを囲んでいたソプラノの女子が一斉《いっせい》に歌うのをやめて、声の方向を見る。琴穂が顔の前で手を合わせて「ごめんごめん」と言いながら駆け寄ってくる。

「本当にごめんね。今どこ歌ってた？」

「――いいよ、もう一度最初からやろう」

すぐに練習が再開され、琴穂も加わったが、歌い始める前に、マチの後ろで「琴穂ちゃん、いつも遅れてくるよね」という小さな声が聞こえた。自分のことではないけど、ドキンとする。聞いてはいけない気がするのに、耳が勝手に声の続きを聞いてしまう。

「リーダーなのに、やる気あるのかな」

琴穂は、朝練習を遅刻することが多い。その上、放課後も部活を理由に早めに練習を切り上げ、他のみんなを残して先に教室を出て行ってしまうことがよくあった。

歌った後で、それぞれグループごと、自分たちの歌の悪い部分について話し合う。

教室の隅《すみ》から、アルトの女子の声が聞こえてくる。自分たちのソプラノより歌声がまとまっているように聞こえて、このままじゃ合わせて練習したときに声量が負けてしまうのではないか、つられてしまうのではないかと心配だ。アルトのリーダーであるみなみの声が一際《ひときわ》よく聞こえる。

マチがみなみの方を見ていると、琴穂が「ねえねえ」と話しかけてきた。てっきり合唱に関することだろうと振り向くと、いきなり「聞いてみた？」と聞かれた。

「何を？」

「みなみと恒河のことだよ。夏休み、自由研究一緒にやったんでしょ？　あの二人、つきあってるの？」

小声になって関係のない話をしようとする。

その言葉を聞いた途端、ふいに、マチの胸の中でたくさんの感情が一度に揺《ゆ》れ動いた。

『リーダーなのに、やる気あるのかな』

さっき聞いたばかりの声を思い出したら、悲しくなった。本音《ほんね》を言えば、琴穂に真剣に練習して欲しいのはマチも同じだ。

「ちゃんと練習、しようよ」

とっさに飛び出した声が我ながら冷たく聞こえて、驚いた。琴穂が「え」と短く声を出す。きょとんとしたその表情を見たら、もう一押《ひとお》し、声が止まらずに出てしまった。

「しっかりやろうよ。琴穂、遅れてきたのに、関係のない話したり、全然、みんなに悪いと思ってる様子がないよ」

琴穂が目を見開いた。ショックを受けたのだと、表情でわかった。わかった途端、喉《のど》元《もと》が苦しくなって、それから全身が熱くなる。顔を伏せて、琴穂から離れた。

ややあって、背後から「わかった」と琴穂の声が答えた。思いがけず素直な声だったせいで、琴穂が沈んだ様子なのが、振り返らなくても伝わってくる。マチが返事をするより早く、「じゃ、もう一度ね」と他の子の声がして、歌の練習がまた始まってしまう。声がうまく出なかった。息が苦しかった。

練習が終わった後で様子を見ると、琴穂は顔を俯けながら席に戻るところだった。マチの胸を小さな痛みがちくりと刺した。

そのとき、「マチ」と呼びかけられた。さっき、琴穂の遅刻を責めていた子たちだ。

「琴穂のこと、ありがとう。マチみたいなまじめないい子が注意してくれると助かるよ」

こっそりと囁《ささや》くような声に「ううん」と首を振る。感謝されるようなことは何もない。黙って一人で席に着いた琴穂のことが気がかりだった。

その日は一日中、同じ教室の中で琴穂と気まずい時間を過ごした。

「どうしたの？　マチ、元気ないね」

「そんなことないよ」

みなみの声にも首を振る。誰にも、これ以上何も言いたくなかった。

一人で帰る前に、図書室に本を返しに寄る。本と紙の匂《にお》いに包まれた大好きな場所に入った途端、全身から力が抜けて、泣き出しそうな気持ちになった。明日から、琴穂とどう顔を合わせればいいかわからなかった。合唱練習は明日もあるのに。

そのとき、図書室の奥の壁沿《かべぞ》いに並んだ百科事典が目に留まった。見えない〝誰か〟と続けている文通。次にメモを残すのはマチの番だった。

本を手に取り、いつもより長く、手紙を書いた。

『真面目だ、いい子だ、と言われると、ほめられているはずなのに、なんだか苦しくなる。はっきり言えないことを優しいって言ってくれる人もいるけど、わたしは、本当は自分が人に嫌われたくないからそうしてるんだと思う。わたしは臆病《おくびょう》です。』

次の日の朝練に、琴穂は遅刻もせず、時間より早く現れた。

何事もなかったかのように「さあ、練習するよー」と明るい声を出してみんなの前に立つ。マチにも「マチ、おはよう」と普段通り挨拶してくれた。

その声にほっとして、マチも「おはよう」と返事をする。けれど、琴穂が無理をしているんじゃないかと、やっぱりまだ気になった。

その日の放課後、図書室に急いで、ドキドキしながら本を開いた。昨日残した自分の長い手紙に、相手がどんな返事を残しているかを考えると、待ち遠《まどお》しいような、怖いような気持ちだった。

本を開くと、返事はもう来ていた。いつもより長い。

『断れない、はっきり言えない人は、誰かが傷つくのが嫌で、人の傷まで自分で背負ってしまう強い人だと思う。がんばって。』

――がんばって。

読んだ瞬間、胸がぐっと熱くなった。

手紙を抜き取って、本を元に戻す。何度も何度も読んでから、お守りのように、そっと胸に当てた。便せんの内側が、あたたかく熱を持っているように感じた。

翌日の練習で、マチは思いきって、琴穂に自分の方から「おはよう」と挨拶してみた。

練習用のテープのセットをしていた琴穂が、驚いたように一瞬黙ってから、マチの顔を見て、それから、一呼吸ついて、微笑んだ。

「おはよう、マチ。がんばろうね」

「うん。――テープ、借りてきてくれたの？　ありがとう」

「一応、リーダーだから」

照れくさそうに、琴穂がマチからぱっと目をそらした。

その日から、ソプラノは、みんなだんだんと声が出るようになっていった。

文化祭当日の合唱は、今までの練習の中でも声が一番伸びやかに重なって聞こえた。

アルトや、男子の声にだって負けていない。横の琴穂とも声がひとつになっている手ごたえがあった。

歌いながら、気づくことがあった。

みなみたちのアルトと違って、マチたちのソプラノはパートリーダーがなかなか決まらなかった。そのときに手を挙げて、リーダーになったのは琴穂だ。深く考えなかったけど、あれは、他に誰も立候補がなく練習が進まないのを見て、琴穂がみんなが嫌がる役を進んで引き受けてくれたのではないだろうか。

だとすれば、それはとても勇気があることだと思う。

人はただ　風の中を　祈りながら　歩き続ける

歌詞を噛《か》みしめるように声を出しながら、マチは「ありがとう」と思った。琴穂にも、手紙をくれた見えない誰かにも。

歌い終えた後で、琴穂から「やったね」と声をかけられた。他の学年の生徒からの拍手の大きさが、合唱の成功を物語って聞こえた。「うん」と頷き、お互いに手に拳《こぶし》を握ってガッツポーズを作る。

教室に戻るとき、みなみからも「マチ、がんばったね」と声をかけられた。

「ソプラノの子たちから聞いたけど、練習をまとめるきっかけを作ったのはマチだったんだってね。偉い！」

「私、何もしてないよ。それを言うなら、みなみちゃんだってアルトをしっかりまとめてて、私なんかよりずっと、普段から偉いよ」

「ううん。マチはいつも、あんまりはっきり人を注意したりしないし、私、マチは人が傷つくのが嫌な優しい子だと思ってたんだ。そういう優しい人が誰かを注意するのって、私が普段やってるのより何倍も勇気がいると思う。マチはすごいよ」

「そんなこと……」

恥ずかしくて顔を伏せ、感激しながら俯いたそのときだった。みなみの言葉の一部分が、マチの心の柔《やわ》らかな場所にふっと入りこんできた。

あっと思い当たる。

みなみの今の言葉は、マチがもらった図書室のあのメモの言葉とどこか似ている。

普段からはっきり意見が言えないこと。誰かが傷つくのが嫌なこと。マチを励ますような力強い言葉と、考え方だ。

言葉が出てこなかった。そのままじっと、みなみの顔を見つめる。みなみはもう、前を向いてしまっている。

思い出す、記憶があった。

『ナルニア国ものがたり』の二巻と三巻。手紙の主がマチに最初に返事をくれた、あの本。本が返却されたばかりの棚の前に、あの朝、みなみがいた。――まるで、本を返したのが、みなみだったかのようなタイミングで。

胸がざわざわする。ひとつの可能性がふっと浮かんだ。

――あのメモの主はひょっとして、みなみなのではないだろうか。

踏み出す一歩

文化祭が終わると、教室内の空気は十二月の新人戦に向けて緊張感を高めていくようだった。夏の大会ではまだ出場できなかった一年生の中にも、新人戦なら活躍できる子が出てくる。マチたちの科学部は関係ないが、運動部の子たちはみな、忙しそうだった。放課後の教室にも、部活の話題が増えていた。運動部の子たちの顔が心なしか興奮《こうふん》して見える。大変そうだけど、楽しそうだ。

そんな中、ジャージに着替えたみなみがすまなそうに話しかけてきた。

「マチ、今日のことなんだけど……」

科学部に行くしたくをしていたマチは、すぐにピンときた。夏休みに約束して以来、マチとみなみは高坂紙音の家を一緒に訪ねる機会が多くなっていた。お互いに部活がある日を選んで待ち合わせるのが当たり前になっていたので、今日も紙音の家に一緒に行くつもりだった。

みなみが言った。

「紙音のところ、今日は私一人で行くよ。陸上部、新人戦前でみんな張りきってるから、科学部よりも終わるの、遅くなると思う」

「そうなんだ」

「うん。――紙音の家に行くのも、今日はだいぶ遅くなっちゃうんだけど」

文化祭の合唱練習の間も、みなみとマチは紙音の家を何度も訪ねた。しかし、応対に出てくるのは最初の日と同じように、いつでも紙音のお母さんだけだった。

一学期の最初、マチの制服のしつけ糸を切ってくれたあの子は、今、一人きりの部屋で過ごしているのかもしれない。そう考えると、胸の奥がきゅっとなる。

「私、一人で行こうか」

マチが言うと、みなみがびっくりしたように「え」と呟いた。

「高坂さんの家なら、何度もみなみちゃんと一緒に行ったし、私一人でも大丈夫だよ。みなみちゃん、新人戦の準備で忙しそうだし、明日も朝練があって早いんでしょ？」

「そうだけど、マチを一人で行かせるのは悪いよ。遠回りになるし」

みなみが断りかけたとき、思いがけず、背後から「私、行くよ」という声がした。振り返って、驚く。

琴穂だった。

マチとみなみは思わず顔を見合わせる。そんな二人に向け、琴穂がさらに続けた。

「私がマチと一緒に行く。今日はバスケ部、陸上部ほど遅くならないと思うから、ちょっと待っててくれれば大丈夫だよ。私にまかせて、みなみは部活に行って」

「助かるけど、でも」

みなみの声を遮《さえぎ》るように、琴穂がすばやく首を振り動かした。

「みなみってさ、しっかりしてるのはいいんだけど、一人でたくさんのことを抱《かか》えこんでがんばりすぎるんだよね。そんなんじゃ、いつか参っちゃうよ。――今年の新人戦、陸上部の他《ほか》の子に聞いたけど選手になれそうなんでしょ?」

みなみの顔にはっとした表情が浮かぶ。琴穂がふう、と小さなため息をついた後で笑った。

「だったら、今はそっちががんばり時だよ。もっと頼ってよ。――これまで副委員長なのに全然頼りにならなかったのは、私が悪かったからさ」

言いながら、琴穂がマチを見た。「マチに仕事、だいぶ頼っちゃってたし」と決まり悪そうに告げる。

「マチも、これまで、いろいろごめんね。私、部活を言い訳にしすぎてた。そんなこと言い出せば、みなみだって陸上部が大変なのに、委員の仕事したり、高坂さんの家、行ったりしてたんだもんね」

謝った後で照れくさそうに目を伏せた琴穂を前に、みなみがとまどうような表情を浮かべる。ややあってから、おずおずと「いいの？」と琴穂を見た。

「頼んでも、平気？」

「うん」

琴穂が胸を張って頷いた。

一連のやりとりを驚きながら見ていたマチの頬がゆるんでいく。「ありがとう」とためらいがちにお礼を言うみなみを、とてもいいと思った。

いつもしっかりしているみなみが自分たちを頼ってくれたことが、嬉しくなる。

琴穂と二人で紙音の家に向かう途中、マチは改めて琴穂に礼を言った。

「さっきはありがとう。みなみちゃん、嬉しかったと思う」

横を歩いていた琴穂が、「だって」と笑う。

「みなみ、完璧《かんぺき》すぎるんだもん。あれ、本人何でもないふうにやってるけど、結構大変なはずだよ」

「私も実はちょっとそう思ったことがあったけど、言い出せなかったんだ。琴穂が言ってくれてよかった」

「うーん。みなみ、たぶん、自分が無理してることにも気づいてないんじゃないかなあ。自分のことって、かえってなかなか気がつけないよね。私もそうだったし」

琴穂が「ごめんね」と頭をかく。

「私も合唱の練習、リーダーなのにちゃんとやってなかった。マチに注意されてはっとしたの」

「私こそ、あのときはキツイこと言っちゃってごめん」

あわてて謝ると、琴穂が「そう？」と首を傾《かし》げた。

「全然キツくなかったよ。むしろ普段おとなしいマチから言われるなんて、私、よっぽどだったんだなって反省《はんせい》した。──なんか、ありがとね。陰でこそこそ言うんじゃなくて、面と向かって言ってくれたから、かえって気分よかったよ」

「そんな……」

頰《ほお》がかあっと熱くなった。

──はっきり自分の意見が言えない性格を直したい。

今年の四月、マチが中学校に入学するにあたって目標にしたことだ。その一歩が踏み出せたようで胸の奥がじん、とあたたかくなる。

琴穂から本音《ほんね》の声を聞いたように思えたら、マチもまた、その本音にこたえたくなる。自分のことについて話してみたくなった。

「私ね、〝いい子〟とか、〝真面目〟って言われるの、少し嫌なんだ」

今も、琴穂から「普段おとなしいマチ」と言われたばかりだ。おとなしい、優しい、いい子。褒《ほ》め言葉なのに、マチを息苦しくさせる言葉たち。琴穂がびっくりしたようにマチを見た。

「どうして？」

「自分の意見がはっきり言えない子だとか、面白くない、楽しくない子なんだって周りから思われてるようで、心配で」

話しながら、だんだんと胸のつかえが取れていく。絶対に人には話せないと思っていたことだったのに、言葉に羽《は》が生えたようだった。琴穂は相変わらず驚いていたが、聞き終えて大きく息を吐《は》き出した。

「ごめんね、私、マチのことたくさん〝いい子〟って言った。褒め言葉のつもりだったんだけど無神経《むしんけい》だったね」

「ううん。私が気にしすぎるのも確かだから」

「勉強できる子は、悩みなんかないと思ってた。私、マチのこと羨《うらや》ましかったんだ」

「ええっ？　私こそ、琴穂は運動神経もいいし、友達も多いから悩みなんかないと思ってた」

お互いに驚いたものの、いつの間にか、一緒に笑っていた。

「本当は私、陸上部に入りたかったんだ」

マチはさらに思いきって言ってみた。

「今は科学部が楽しいし、入ったことは後悔してない。だけど、四月の私は勇気がなくて……」

あのときは、琴穂に言われたことを気にしていたのだ。陸上部は練習が厳しいし、先輩たちもみんな怖いからやめた方がいい――、当の琴穂は四月に自分が言ったことを覚えてもいないだろう。だけど、その言葉がマチの気持ちに歯止めをかけた。

案《あん》の定《じょう》、「ふうん」と他人事《ひとごと》のように頷いた琴穂が、しかし次の瞬間、意外なことを言った。

「陸上部かあ。確かにマチ、小学校の頃から長距離得意だったもんね」

「え？」

「マラソン大会や体育の時間に見てた。私は最初に勢いよく飛ばして後半バテるのに、マチは根気強いっていうか、ペースに乱れが全然ないんだよね。最初から最後まで自分のペースを守る。すごいなあって思ってたんだ」

すぐに言葉が返せなかった。胸に、ある一文が蘇《よみがえ》る。図書室で、見えない誰かが残した手紙。

『がんばってれば、見ててくれるかな。』

見ててくれるよ。

胸の中で、呼びかけていた。見ててくれる人は、必ず、どこかにいる。手をぎゅっと握り締め、琴穂に向けて「ありがとう」とこたえた。

「あら、今日はマチちゃんと――ええと」

「光田です。光田琴穂」

玄関先まで出てきてくれた紙音のお母さんに向けて、琴穂が頭を下げた。

「副委員長で、今日はみなみのかわりに来ました」

「そうなの。どうもありがとう。――ちょっと、待っててね」

紙音の元に琴穂が来たことを知らせに行ってくれる。しかし、しばらくして戻《もど》ってきた紙音のお母さんの表情は明るいものではなかった。

「具合が悪いらしくて、まだ出られないみたい。わざわざ来てくれたのに、ごめんなさいね」

「いえ。よろしく伝えてください」

家を出て行くとき、マチたち二人は無口になっていた。前にカーテンが揺れた窓を振り返っても、今日はカーテンがピクリとも動く気配《けはい》がない。

(私がそうだったみたいに、高坂さんのことだって、きっと誰かが見ててくれてるはずなのに)

部活が忙しくてもこの家を訪《たず》ねようとしていたみなみの姿が思い出された。マチや琴穂だって、また会いにくるつもりだ。

これまでもずっと思っていたことだったが、改めて強く感じる。

先月の文化祭。合唱で重なった歌声。

マチは、紙音とも歌いたかった。来年になったら、またクラス替えがある。何も思い出が作れないまま別々のクラスになってしまうのはやるせないし、あんまりだと思う。

紙音に学校に来て欲しい。心から、そう願った。

誰かの秘密

「今年の陸上部、すごかったらしいね！」

マチの横に座っていたみなみの肩を、琴穂が叩《たた》く。新人戦が終わった翌日の教室は、運動部の活躍の話で持ちきりだった。

みなみは、昨日の新人戦で八百メートルの中距離種目に一年生唯一の選手として出場していた。明るい声で答える。

「うん。私自身は入賞できなかったけど、先輩たちがすごかったんだ。私も来年に向けてがんばらなきゃって気合いが入ったよー」

「男子のリレーがすごかったって聞いたよ」

「うん。アンカーの朋彦《ともひこ》先輩の追い上げが特にすごかったんだ。一年生たちもみんな感動して、泣いてる子もいた」

「へえ」

マチも感心して頷く。文化部の生徒は新人戦の日は学校で自習する決まりだったが、どうにかして応援に行きたかったな、と感じる。みなみや先輩たちの走りを実際に観てみたかった。ただ……。

（みなみちゃん、いい顔してる）

入賞できなくとも、悔いのない走りをしたのだろうと、それだけで伝わってくる。よかった、と安堵《あんど》し、それから少し羨ましく思う。

「マチも中距離や長距離、得意なんだよ」

ふいに琴穂が言って、マチは思わず「そんなことないよ」と声を出して首を振った。琴穂はひょっとして、この間の帰り道、紙音の家に行く途中で話したことを覚えていてくれたのかもしれない。けれど、陸上部のみなみに〝得意〟だなんて言えるレベルじゃ全然ないのに。

俯いてしまったマチの頭上《ずじょう》に、そのとき、思いがけず「そうなんだ！」と嬉しそうな声が落ちてきた。顔を上げると、みなみが微笑んでいる。

「私も昔から、短距離より長距離の方が好きなんだ。長い距離の方が好きなんて変わってるってよく言われるけど、冬休みの間は部活以外にも走ろうかなって思ってるんだ」

みなみが言うのを聞いた瞬間、背中にピンと電流が走ったように感じた。

「私も走りたい！」

大声を上げてしまってから、「あ」と気づく。恥ずかしくなった。目の前ではみなみと琴穂がきょとんとしたようにマチを見つめていた。あわてて、言い直す。

「みなみちゃんについていけなくて足手《あしで》まといになるかもしれないけど、もし、迷惑《めいわく》でなかったら、冬休みの間——一緒に、走りたい」

私なんかがこんなことを言って笑われないだろうか。ドキドキしながら不安に思っていると、次の瞬間、みなみが「うん」と頷いた。

「いいよ、待ち合わせして一緒に走ろう！」

「ありがとう」

ほっとしながら、マチもみなみに負けないくらい大きく頷いた。

その日の教室移動のとき、みなみが廊下ですれ違った二年生に向けて「朋彦先輩、美《み》晴《はる》先輩、こんにちは！」と挨拶した。元気そうな男の先輩と、落ち着いた雰囲気の女の先輩だった。二人が足を止め「よお」「昨日《きのう》はお疲れさま」とみなみに挨拶を返す。その顔が笑うのを見た途端、横で見ていたマチまでわあっと心がはしゃいだ。とても優しい笑い方だった。

「今の、陸上部の先輩たち?」

彼らが行ってしまってから尋ねると、「そうだよ」とみなみが答えた。

「陸上部の先輩たちはみんな優しいし、かっこいいんだ」

「うん。二年生たちって、私たちと年が一つしか違わないのになんであんなに大人っぽいんだろう」

「私もそう思うけど」

みなみが先輩たちの方を振り返りながら「でも」と続けた。

「私たちだって、いずれは二年生や三年生や、来年にはもう〝先輩〟って呼ばれる立場になるわけでしょ? 不思議《ふしぎ》だね。ひょっとして今の先輩たちだって、私たちと同じように悩みがあったりするのかも」

「あ、そうか」

どれだけしっかりしてるように見えても、心の中ではみんないろんなことを考えたり、迷《まよ》ったり、みなみの言うように悩んでいることだってあるのかもしれない。この間、元気で明るいとばかり思っていた琴穂とも、お互いの悩みを打ち明け合ったばかりだった。

するど、ちょうど、その琴穂が友達と一緒にこちらに近づいてきた。「みなみ！」と呼びかけてくる。

「ねえ、今のって、昨日のリレーでアンカー走った朋彦先輩だよね？　あの先輩って彼女いるのかなあ」

「さあ。どうだろう。美晴先輩とは仲がいいみたいだけど」

「朋彦先輩、かっこいいよね。マチもそう思わない？」

「え」

すれ違ったばかりのさっきの先輩の顔を思い出そうとしてとまどっていると、琴穂が続けて「それともマチはもっと静かなタイプの方が好き？」と尋ねてきた。

琴穂の視線の先に、恒河と一緒に歩いている奏人のすらっとした姿が見える。あわてて「わからない」と答えるとき、胸が見えない何かに押されたように、軽く疼《うず》いた。

二学期すぐから始まった図書室の文通は、回数を重ねて続いていた。

百科事典の次の巻。今日は返事がはさまっているだろうか？

合唱練習でマチを励ましてくれたあのメッセージ以来、向こうの返事がこのところ途《と》切《ぎ》れがちだった。あまり図書室に来ていないのだろうか。ひょっとしたら、相手は運動部の子で、新人戦の準備が忙しかったのかもしれない。

もうすぐ冬休みに入る。そうすると、図書室の文通もしばらくはお休みだ。百科事典の並びから、前回の続きの巻を手に取ると、中にいつもの細長い便せんがはさまれていた。

あった！

嬉しく思いながら覗きこみ、そして内容を読んだ瞬間、マチは目を見開いてその場に立ちすくんだ。

『もう、来年からここには来られないかもしれない。』

（どういうこと？）

最初に思ったのは、自分が何かしてしまったのではないだろうかということだった。

手紙に、何か相手を怒らせるか、不愉快にさせることを無意識のうちに書いてしまっただろうか。しかし、どれだけ手紙の内容を思い出し、いくら考えても、そんな心あたりがない。

ショックを受けながらも、便せんを抜き取って返事を書く。頭の中が真っ白で、鉛筆を持つ手の感覚が薄かった。

『どうして？』と、一言書くのが精一杯《せいいっぱい》だった。

これからは冬休みに入るから、返事はしばらく見られない。

その日、マチはたまたま日直だった。当番の仕事として黒板の板書をしっかり消し、放課後の教室で一人、学級日誌を開いてぼんやりしていると、頭にふっとある考えが閃《ひらめ》いた。

書きかけの学級日誌のページを見つめ、ゆっくりと唾《つば》を飲みこむ。

学級日誌は、毎日、その日の日直が書く。一学期から、ほぼ全員が日誌を書いているはずだ。机の中から、今日抜き取ったばかりの図書室の手紙をそっと出す。

（一年五組の子かもしれないんだ……）

意を決して、学級日誌を最初のページから確かめていく。この中で、誰か、手紙の主と似た字を書くクラスメートがいないだろうか。ひとつひとつ確認するとき、誰かの秘密を暴《あば》いてしまうような罪悪感に、何度も襲われた。だけど、知りたいと思う気持ちに勝つことができない。

全員の字を確認すると、夏休みの自由研究のときに思ったように奏人のものが一番似ているものの、はっきりと同じ筆跡《ひっせき》は見つからなかった。みなみの字とも雰囲気が違う。

奏人の字ともう一度見比べる。そして気づいた。

「ら」の書き方。手紙の主は点を縦に書く癖があるようだけど、奏人の「ら」は点が横で、ほとんどくっつけるようにして「5」に似た書き方で書く。──二つの書き方は明らかに違う。

相手がクラスの中で特定できなかったことに、がっかりしたような、それと同時にどこかほっとした気持ちでため息をつく。

すると、そのときだった。

「まだ残ってたの、塚原」

声に背筋を伸ばし、振り返ると奏人が立っていた。ちょうど奏人が書いたページを開いていたマチは、大急ぎでページを閉じる。どぎまぎしながら「日直だから」と答える。わきの下に冷や汗がにじんだ。

「そうなんだ。お疲れ」

「奏人くんは？」

「俺？　俺は、ちょっと……」

曖昧《あいまい》に笑って済まそうとするのが奏人らしくなく思えたが、奏人は帰り支度《じたく》をした自分の鞄《かばん》を提《さ》げて、もう教室を出て行ってしまおうとする。その姿を見たら、ふと、気持ちが弱くなった。

目に見えない、誰かもわからない文通相手。

このまま、マチと相手のつながりは消えてしまうのだろうか。思ったら、怖くなった。

誰かに聞いてみたかった。

「ねえ、奏人くん。もしも、誰かが悩んでるふうだったらどうする？　しかもそれが、自分とは知り合ったばっかりのそんなに仲良くない相手で、まだあんまりいろんなことを深く聞けないような関係だったら。——変な質問でごめん。でも、奏人くんだったらどうする？」

いきなり尋ねたマチを、奏人は呆気《あっけ》に取られたように見た。けれどマチが目をそらさずにいるのを見て、開きかけた唇を一瞬閉じてから、真面目な顔つきになる。

マチは泣きそうな顔をしていたのかもしれない。奏人が答えた。

「俺だったら、それでも何を悩んでるか、相手に聞くかもしれない。——そんなに仲良くない相手でも、塚原は、これからその人ともっと仲良くなりたいんでしょ？」

「あ」

「もっとも、俺、うまく聞けるかどうか、わかんないけど。恒河みたいなヤツの方がひょっとしたら、ためらわない分、ずばっと気持ちよく聞けちゃうのかもしれないね」

柔らかく微笑み、「じゃあ」と行ってしまおうとする。マチははっと我に返って「ありがとう」と答えた。言いながら、そうなんだ、と理解する。奏人に言われて、初めてわかった。

マチは、あの図書室の手紙の主と、友達になりたいのだ。

手紙の向こう側

神社の参道《さんどう》に、たくさんの人があふれている。

「すごい人だね」と、みなみがマチの顔を覗きこんだ。

「うん。本堂に辿《たど》りつくまで、あとどれくらいかなあ」

冬休みに入り、マチとみなみは約束通り、毎朝一緒にランニングをしていた。初詣《はつもうで》も、今年は二人一緒だ。

「あ、向こうから来るの、琴穂たちじゃない？　それに、恒河もいる」

「え、どこ？」

背伸びをしてみなみの視線の先を辿ると、琴穂たちバスケ部のグループがお参りを終えて戻ってくるところだった。その後ろを見て、ドキッとする。恒河と、それに奏人の姿が見える。

「マチ、みなみ。あけましておめでとうございます」

琴穂が妙にかしこまって、挨拶《あいさつ》する。マチたちも笑いながら、琴穂を真似て「あけましておめでとうございます」とお辞儀《じぎ》をした。

入れ替わりのようにやってきた恒河と奏人にも、同じく「おめでとう」と挨拶すると、恒河が「おう！」と大きく手を振り動かした。「何、お願いしてきた？」とみなみと恒河が話しだす横で、奏人が「塚原、元気にしてた？」と少し小声になって話しかけてきた。

「うん。どうして？」

「冬休み前、落ちこんでるように見えたから」

図書室の手紙のことで奏人に相談したからだろう。心配してくれていたのか、と胸に嬉しさがこみ上げる。「ありがとう」と礼を言った。

「うん。相談にのってもらって、自分がどうしたいか、わかった気がする」

奏人たちと別れてしばらくすると、マチたちにも参拝《さんぱい》の順番が回ってきた。マチは丁寧に手のひらを合わせ、目を閉じた。

(去年は、とても楽しい年でした)

頭の中で、みなみと恒河、そして奏人とやった自由研究のことや図書室の文通のことを思い描く。あれがもう全部〝去年〟だなんて信じられない。

（今年もどうか、いい年にしてください）

そう祈り、二回、手のひらを打ち合わせる。

新学期が始まったら、マチは真っ先に図書室に行こうと決めていた。奏人に相談したことで、やろうと決意できたことがある。

百科事典を開くと、手紙の主からの返事はないままだった。マチは新しい続きの一冊に、こう、書いてはさんだ。

『私は一年五組の塚原マチです。あなたは誰ですか。』

友達になりたい、悩んでるなら教えて欲しい。

考えて、そして出した結論だった。——自分の名前を、相手に教えようと決めたのだ。

図書室から教室に戻《もど》る途中、廊下で「塚原さん」と呼び止められた。振り返ると、隣のクラスの女子が立っている。顔は知っているけど、これまで話したことのない子だ。名前は確か、美浜《みはま》さん。

「ちょっと、いい？」

目が、泣きそうにうるんで見えた。マチはドギマギしながら「うん」とぎこちなく頷く。

「奏人くんとつきあってるの？」と聞かれた瞬間、頭の中が真っ白になった。「え」と聞き返すより早く、美浜さんが続けた。

「二学期の終わりに奏人くんに告白したんだけど、ＯＫがもらえなくて――。誰か、他に好きな人がいるんじゃないかって、気になって。普段から、塚原さんとは仲がいいみたいだし、初詣のときも一緒にいるのが見えたから。塚原さんは、奏人くんが好きなの？」

「違うよ！」

思わず大きな声が出ていた。初詣でもたまたま会っただけだ。奏人は優しいし、頭がいいから頼りにしてしまうけど、だけど――。混乱しながら、だけど、同時に気づく。

マチはさっきも、奏人のおかげで大きな決意をし、行動したばかりだ。

考えたら、言葉が出てこなくなった。

美浜さんの真剣な眼差《まなざ》しを見つめ続けていられなくなる。

奏人が女の子に告白されていた。

――ひょっとしたらそれは、二学期の終わり、放課後マチの相談に乗ってくれたあの日だったのかもしれない。あのとき、奏人は確かに少し様子がおかしかった。

考えるだけで、胸がぎゅっと痛んだ。

「奏人くんのこと、好きなんじゃないの？」

「――わからない」

尋ねる美浜さんの声に、二回目ははっきり答えられなかった。

次の日の休み時間、図書室に行くと、クラスメートの男子が数人、百科事典の前でふざけあって遊んでいた。

雨が降っていた。グラウンドで遊ぶことができない分、ここで騒いでいるのかもしれない。姿を見て、嫌な予感がした。図書室には他に、珍《めずら》しく琴穂の姿もあった。

昨日はさんだ手紙に返事が来ているか、これでは見に行けない。困りながら様子を見ているると、追いかけっこをしていた男子の一人がバランスを崩《くず》して転んだ。本棚にぶつかったはずみで百科事典の一冊が倒れる。

あ、と息を呑《の》む。全身から血の気《け》が失《う》せ、足が凍《こお》りついたようになった。それは、マチが前に手紙をはさんだ一冊だった。『来年からここには来られないかもしれない。』という相手に、マチはそのとき『どうして？』と書いた。あの手紙は、返事がないまま、まだはさまれたままになっている。

転がった本を、「あーあ」とか「気をつけろよ」と言いながら男子たちが拾い上げる。そのとき、ページの間から、マチの書いた便せんがするっと落ちた。

「あれ？」

お願い、見ないで！

とっさに心の中で叫んだけれど、祈りは届かなかった。男子の一人が「何これ、『どうして？』だって」と、マチの手紙を読み上げた。

体から力が抜ける。声に出して読み上げられたことで、顔から火が出るほどに恥ずかしい。

「何だ、これ？　手紙？」

「他のにもはさんであるかも」

彼らがふざけ調子に、横の事典に手をかける。マチはもう、目を開けていられなかった。次の一冊には、マチが自分の名前をはっきりと書いた分の手紙が入っている。知られてしまう……、ぎゅっと目を閉じたその瞬間――。

「あんたたち、図書室でふざけるのやめなさいよ！」

琴穂の声がした。マチはぱっと目を開け、琴穂を見た。男子たちも驚いていた。

「先生も困ってるでしょ？　騒ぐなら体育館にでも行って」

カウンターの奥で、司書《ししょ》の先生が苦笑いしている。男子たちが決まり悪そうに百科事典を元通りに直した。そのまま先生に小声で謝り、図書室を出て行ってしまう。

マチの手紙だけが、そこに残された。まだ動けないマチにかわるようにして、琴穂が手紙を拾い上げ、しばらくじっと見つめた後《あと》で、マチに向けて顔を上げた。

「これ、マチの字？」

琴穂相手になら、認めてしまえた。無言でこくんと頷くと、「やっぱりな」と琴穂が静かに笑った。

「さっき、男子たちの様子見てるマチの顔が真っ青だったから気になったんだ。マチの字、上手だからすぐにわかるね」

「――ありがとう」

やっと声に出せた。

一学期の最初、琴穂に「字がうまいから」という理由で書記に推薦されたことを思い出す。あのときは、言われるままに役職を引き受けることが嫌でたまらなかったけど、琴穂は、きちんとマチの字を見てくれていたのだ。感謝で、胸がいっぱいになる。

「これ、大事なものなの？」

「うん」

頷きながら、事典の次の巻を開く。そこには昨日入れたばかりのマチの手紙がはさまっていた。

『私は一年五組の塚原マチです。あなたは誰ですか。』

そして、そこにもう一通。

内容が見えた瞬間、マチは大きく息を呑み込んだ。

『私は高坂紙音です。』

内容は一文だけだった。

「これ、なあに？」

琴穂が横から覗きこむ。マチの喉《のど》が熱くなった。もうこれ以上、自分一人の胸にしまっておけなかった。

「琴穂、ごめん──。みなみちゃんやみんなを、呼んできてもいい？」

「みんなって？」

「みなみちゃんと──」

恒河と、奏人。

マチが話したいと、信頼していると思える友達。マチの目を見つめ、琴穂が「わかった」と頷いた。

図書室の文通について打ち明けると、四人は真剣に最後まで、話を聞いてくれた。いつもはやかましい恒河でさえ、マチが話し終えるまで何も言わなかった。

「それで、今日になってこれが」

マチは手にした便せんを、そっと全員の前に差し出す。紙音の名前の上に指をそっと置いた。

「手紙の相手は、高坂さんだった。今日、初めて教えてくれたの」

マチはクラス名を書いたけど、紙音は名前しか書いていない。そのことがなんだかとても寂しく思えた。紙音は一年五組を自分の居場所だと思ってはいないのだろうか。

「マチ」

紙音の手紙を手にとって見つめながら、みなみが言った。

「これ、確かに紙音の字だよ。小学校までよく見てたから、たぶん、間違いない」

「高坂さん、図書室で、本を借りてたの？　学校、来てたんだ……」

みなみがためらいがちに頷いた。

「紙音は、私たちが授業をしてる間に保健室や図書室にだけくること、よくあるみたいなんだ。頼まれた本を借りて家に届けたこともある。——プリントを届けに行くと、お母さんからたまに本の返却を頼まれることもあった。その本の中に、今マチが言った『夏への扉』も『ナルニア国ものがたり』も確かにあったよ。マチと文通してたなんて知らなかったけど」

みなみが小さくため息をつく。

「本人の希望で、貸し出しカードには名前を書かないでいいことにしてもらってたみたい。マチが見ても名前が書いてなかったのは、たぶん、そのせい」

「どうして名前書きたくないんだよ？」

恒河の声に、みなみが微かに目を伏せた。

「――『授業を受けてないのに図書室にだけ来てることを、みんなに知られたくない』ってことみたい」

「高坂さんは、なんで教室に来たくないの？　小学校まではこんなふうじゃなかったんでしょ？　何かあったの？」

琴穂も尋ねる。みなみがしばらくの間黙り、やがて、他の四人がじっと見つめる視線に負けたように、ゆっくりと話し出した。

「紙音、歌がね、すごくうまいの」

「うん」

マチが頷くと、みなみが続けた。

「声楽の教室に通ってて、歌をもっと専門に勉強したいって、音楽に熱心な私立の中学校を受験したんだけど、その実技試験に失敗した。──それで、うちの中学に来たの。すごく一生懸命練習した分、試験に落ちたことが恥ずかしいって気持ちが強くなって、今も、クラスのみんながそのことを知ってるんじゃないかって怯《おび》えてる。だから、教室に来られないんじゃないかな」

「そんな──」

「マチが最初に見つけた図書室の手紙、『サクラチル』って書いてあったんでしょ？」

「うん」

みなみの目に、やるせなさそうな光が浮かぶ。

「それは、悪い結果を示すときに使う電報とかの慣用句だよ。──受験に落ちたときなんかに、使う言葉」

聞いた途端、胸が塞《ふさ》がる思いがした。

それはマチだけでなく、その場にいる全員に共通した思いだった。確認しなくても、皆、同じ気持ちでいることがはっきりと感じられた。

サクラ、咲く

冬休み明けの図書室で手紙の主についてみなみたちと話した後、マチとみなみは、琴穂と三人で紙音の家を訪れた。

紙音は相変わらず出てきてくれなかったが、その日、勇気を出して紙音のお母さんに尋ねた。

「紙音はどうしたら、私たちの教室に来てくれますか」

三人で思いきって聞いてみた。

紙音のお母さんは驚いた顔をした後で、マチたちの顔を、一人一人順番に見た。しばらくして小さな声が「ありがとう」とお礼を言う。そして教えてくれた。

「紙音……。受験に落ちたことを思い出すと、足がすくんじゃうって言ってるの。これまでの友達に自分の失敗を知られてると思うと、みなみちゃんともうまく話せないんだって。ごめんなさいね、あの子もとても苦しいんだと思う」

紙音のお母さんが声をつまらせ、その目に涙がにじむのを見て、マチはどんな顔をすればいいのかわからなかった。

「みんなに会いたくないわけじゃないと思うの。だけど、教室に行こうとすると気分が悪くなったり、おなかが痛くなったりする。仮病じゃなくて、本当にそうなるの。――四月からは、おばあちゃんのおうちから別の学校に通うことにしようかって、相談してるとこなんだけど……」

「そんな」

絶句して顔を見合わせるマチたちに、お母さんがまた「いつも来てくれるのに、ごめんなさい」と弱々しく頭を下げた。

図書室の手紙の文面が蘇る。

『もう、来年からここには来られないかもしれない。』

あれは、転校してしまうという意味だったのか。

三人は、ほとんど無言で紙音の家を後にした。

「高坂さんはさ、きっとすごく一生懸命《いっしょうけんめい》で、自分に厳しい人なんだよね」

帰り道、琴穂が言った。マチとみなみが顔を上げると、琴穂がやるせなさそうに、出てきたばかりの紙音の家を振り返る。

「私なんかと違って、すごく真面目に考えちゃう人なんだろうなあ」

「紙音はたぶん」

みなみが言った。

「失敗が許せなくて、苦しんでるんだよ。自分一人でどうにかして立ち直ろうと、一生懸命なんだ」

『三年生を送る会　出し物』

黒板に書き、指についたチョークの粉を払いながら、みんなの方を振り向くと、ちょうど教壇に立ったみなみが「何か意見はありますか」と尋ねるところだった。

来月に控えた「三年生を送る会」では、各クラスごとに卒業する三年生のために体育館のステージで何か出し物をすることになっていた。

二月最初の学級会。マチは書記として、出てきた意見を黒板にまとめていく。

（もう、先輩たち卒業なんだな）

それは季節が巡り、このクラスで過ごした時間が一年経《た》つということでもある。来年には今のクラスメートたちとも別々のクラスになる。

『私は高坂紙音です。』

図書室に手紙をはさんだ紙音とも、一緒のクラスでいられるのはあと少しだ。

みなみの声がもう一度「他には何かありませんか？」と問いかける。

そのときだった。ふいに、マチの中に考えが閃《ひらめ》いた。思いついたと同時に「はい」と手を挙げる。

「マチ」

席に座ったクラスメートではなく、前に立つ書記が手を挙げたことで、クラス中の視線が自分に集中する。みなみも、びっくりしたようにこっちを見ていた。恥ずかしかったけど、考えるより先に手が勝手に動いてしまっていた。そのままの勢いで言う。

「文化祭で歌った『遠い日の歌』を、もう一度、みんなで歌ったらいいと思います。歌詞もすごくいいし、歌うことで、三年生への感謝も伝わると思います」

文化祭の日にひとつに重なった歌声。あの中に、紙音の声が重なったら。

歌が得意で、教室に通ったり、ずっと練習していたという紙音。それは、歌うことが好きだからではないだろうか。

みなみや琴穂、それに横の恒河の顔に、はっとした表情が浮かぶ。気持ちが伝わったことがそれだけでわかった。みなみが開きかけた唇を閉じる。そして、マチに向け、大きく頷いた。

「合唱という意見が出ましたが、どうですか」

すぐに「賛成」という声がした。席に座っている奏人のものだった。目が合うと、顔が耳まで熱くなった。胸の中でありがとう、と礼を言う。

奏人の声が後押ししてくれたように、その後の多数決で、ほとんど全員がマチに賛成してくれた。こんなに大勢の前で自分の意見をはっきり言ったのは、初めてだった。

その日の放課後、マチは図書室に向かった。

紙音の家に行ってから、何度も何度も、これまでもらった図書室の手紙を読み返した。一番最初の『サクラチル』の手紙も、改めて読んだ。

紙音は、どんな気持ちでこの一行を書いたのだろう。——自分の失敗を思い出させる言葉を改めて書き、本にはさむ。それをやらざるを得ないほどに、紙音はたぶん、追いつめられていた。そして、そのメッセージを、たまたまマチが受け取ったのだ。

それからの文通。

文化祭のときには、マチの悩みに、真剣に相談に乗ってくれた。一年近い文通を通じて、たくさん話した。

手紙だけのやり取りだけど、紙音はマチの友達だ。

紙音もそう思ってくれたからこそ、マチの気持ちにこたえてくれたのだろう。紙音にとって、名前を明かすのはマチがそうしたのよりきっと何倍も勇気が必要だったはずだ。

それでも教えてくれたのは、本当は教室に来たいからじゃないのか。

マチは今日、いつもより長い手紙を書いてきた。四月に入学してから、これまでのことをたくさん書いた。

入学式後の教室で、スカートのしつけ糸を取ってくれた紙音の気遣《きづか》いに感動したこと。

琴穂とケンカしたことで、どんなに悩んでいることなんかなさそうな子でも、本当はみんなそれぞれに大変だということを知って反省したこと。

これまでずっと成績がよい方だと思っていたのに、中学に入って自分が必ずしも特別でないことを思い知ってつらかったこと。失敗したときの気持ちがわかること……。長い時間をかけて書いた。最後には一文、祈るような気持ちでこう、書いた。

『一緒に、歌おう。教室でずっと、ずっと待っています。』

いつもの通り、百科事典の続きの巻にはさもうとする。と、本を手に取った瞬間、マチはそこに何かがもうはさまっていることに気づいた。

(高坂さんからの返事……?)

だけど、今回の手紙はマチの番だったはずだ。ページを開こうとしたそのとき、背後から思いがけず奏人の声がした。

「それ、俺が書いたんだ」

驚いて振り向くと、そこに、奏人と――恒河やみなみ、琴穂が立っていた。みんな手に、それぞれ紙を持っている。不器用に折りたたんだ恒河の手紙は学校で配られるような藁半紙《わらばんし》で、みなみは大人っぽい薄紅色《うすべにいろ》の折り紙。琴穂のものはキャラクターがプリントされたレターセットだ。

「すっげえ、相談したわけじゃないのにみんな同じこと考えてたんだ」

恒河が言う。みなみも横で笑っている。

「私たちはともかく、恒河も書いたなんてびっくり。長い文章、苦手だと思ってた」

「俺の手紙、短いよ。一言だもん。ほら」

恒河が手に持っていた紙を広げる。そこには一言、こう書いてあった。

『サクラサク』

恒河らしい、力いっぱい大きな字だった。紙をはみ出すほどの力強い字に、みんな呆《あっ》気《け》に取られて恒河を見る。恒河が「何だよ」と唇を尖《とが》らせた。

「高坂、最初の手紙に『サクラチル』って書いて、悩んでたんだろ？　だったら反対を書けばいいと思った」

「すごい、恒河」

息を呑んだような声で、みなみが言う。しっかりと頷いて、もう一度。

「すごいよ。『サクラサク』は、電報で、合格とか、いい結果を表すときに使う言葉。本当に『サクラチル』の反対だよ！」

「マジで？　じゃ、俺、すごいってこと？」

「まあ、あんたの場合は、偶然なんだろうけど」

「なんだよ、もっと褒《ほ》めろよ」

――サクラ、咲く。

ふざけ調子に話す二人の姿を見ながら、小さく、噛みしめるように呟いた。

とても、とてもいい言葉だ。紙音の元にも、この言葉が届きますように。私たちの気持ちが届きますように。

五人分の手紙をはさんだせいで分厚《ぶあつ》く膨《ふく》らんだ百科事典を、みんなで一緒に、棚に戻した。

翌週の二月十四日。バレンタインデー。

チョコレートを買うのをつきあって欲しいと誘うと、みなみは一瞬驚いた顔をした後で、だけどすぐ「いいよ」とつきあってくれた。

夏休み、みなみに「もし、好きな人や彼氏ができたら教えてね」と言われたことを、マチは覚えていた。みなみが尋ねる。

「いつから、そう思ったの？」

「わかんない。――だけど、いつも困ってると相談に乗ってくれたり、さりげなく助けてくれる優しいところが、今考えると、ずっと前から気になってたんだと思う」

みなみ相手に言うだけで、顔が真っ赤になる。

地球や火星、水星に木星……。太陽系の惑星をかたどった丸い形のチョコレートは、奏人に似合いそうだった。みなみと別れ、夏休みの間、自由研究の集まりで通った奏人の家に向かう。

「これ」

玄関を開けて出てきた奏人の顔を見てすぐ、チョコレートを差し出す。告白するとか、つきあいたいとか、用意していた言葉は頭が真っ白になって喉の途中でつまって消えてしまった。

おかしなヤツだと思われたらどうしよう……。

俯いたマチの手から、チョコレートの箱がふっと持ち上げられる気配があった。あわてて顔を上げる。

「ありがとう、塚原」

奏人がチョコを受け取り、微笑んでいた。

「すごい、嬉しい」

その笑顔を見た途端、体がふわりとあたたかいもので覆《おお》われたような気がした。

「冬休み前、塚原に、もしも誰かが悩んでるふうだったらどうするかって聞かれたとき、塚原、他に好きな人いるのかなって気になってたんだ。——それが図書室の手紙のことだったってわかったとき、実はちょっとほっとしてた」

「奏人くんが？」

奏人はすごく冷静で、大人っぽくて、不安になることなんてないと思ってた。

——どんなに悩んでいることとなんかなさそうな子でも、本当はみんなそれぞれに大変。

マチが紙音に書いた手紙の内容は、ここでもその通りだったのかもしれない。

「来月、高坂、一緒に歌えるといいな」

「うん」

手紙をはさんで分厚くなった百科事典。紙音があれを読んでくれるのはいつだろう。早く読んで欲しい。勇気を出して、最初の一歩を、教室に踏み出して欲しい。

「あのさ」と奏人が声をかけてきたのは、しばらく経ってからだった。顔に苦笑が浮かんでいる。きょとんとするマチに、奏人が続けた。

「さっきの、一応、告白のつもりなんだけど、返事聞いてもいい？」

「え」

上ずった声が出た。目を見開いて驚くマチの前で、奏人が照れくさそうに目をそらす。マチも勇気を出さなければならない。自分の気持ちが、ようやくはっきりわかった。

私は、海野奏人が好きだ。

歌声は空に

三月の教室に一歩入った途端、空気が違うのに気づいた。

おはよう、おはよう、と挨拶するクラスメートたちの視線が控《ひか》えめに一点を気にしている。ふっと教室の前を見たマチは、そこではっと息を呑んだ。

マチの席の斜め後ろ、窓際の席に、髪の長い女子の後ろ姿が見えた。あの席は、昨日までずっと空席だった、紙音の席だ。

「マチ」

入り口で足を止めたマチの元に、みなみと琴穂がやってくる。言葉は必要なかった。無言で見つめ合い、そして頷き合う。胸の中がいっぱいになる。

紙音が教室に来てくれた……！

はやる気持ちをおさえ、ゆっくりと紙音の席に向かう。みなみが「紙音」と呼びかけると、髪の長い後ろ姿がぴくりと揺れた。

「おはよう、紙音」

前に行って顔を見る。確かに紙音だ。四月の教室でマチのしつけ糸を取ってくれた、あの子だ。

「おはよう。……みなみ」

改めてみると、とても痩《や》せていて、モデルみたいにきれいな女の子だった。まだぎこちない様子に挨拶する紙音と、マチは目が合った。顔色が青白い。どう初めの挨拶をしようか、とまどうのは、マチも紙音も一緒だった。すると、横から元気のいい琴穂の声がした。

「高坂さん、私、光田琴穂。改めて、これからよろしくね」

屈託《くったく》なく手を伸ばす琴穂を、紙音がびっくりしたように見つめ、しばらくしてふっと笑い出した。風に花が揺れるのを見るような微笑みだった。

「光田さん、うちに来てくれたこと、あったよね。どうも、ありがとう。それから――」

紙音が改めてマチを見た。ゆっくりと目を細め「塚原さん」とマチの名前を呼ぶ。

「本当に、本当にありがとう。文通、すごく楽しかった」

楽しかった、という声が自分に向けられた途端、胸にわあっと熱いものがこみ上げる。前に話したときはわからなかったけど、この子はとても澄《す》んだ声をしている。声量は大きくないのに、声自体に艶《つや》があるせいでよく通って聞こえるのだ。

「私こそ」とマチは首を振る。

「文通の間、高坂さんにすごくたくさん助けられた。直接会ってお礼を言わなくちゃって思ってた」

「ううん」

紙音が微笑んだ。マチの目をまっすぐに見て首を振る。

「手紙の中で、塚原さんは自分を臆病だって書いていたけど、一番臆病なのは私だった。みんな、どうもありがとう。みんなからの手紙を読んで、この人たちが待っててくれるなら、もう一度教室に行ってみようって、……歌ってみようって思ったの」

紙音の方を気遣うように見つめるクラスメートたちの視線は最初だけだった。教室の空気が、紙音が話すごと、笑うごとにだんだんと、ほっとしたようにゆるんでいく。

一日が終わる頃には、紙音の存在は、まるで昨日も一昨日《おととい》もそこに座っていたかのように教室に溶けこみ、自然なものに変わっていた。


科学部の部活の片づけの最中、窓の外を見ると放課後の校庭は先月と比べてずいぶん明るくなっていた。季節が変わっていく。

「高坂、来てくれたな」

窓辺《まどべ》に立っていると、奏人が横に来て言った。

顔を上げて目が合うと、まだ少しドキドキする。先月のバレンタインデーから、奏人とマチは部活の後で一緒に帰るようになった。恒河や琴穂にからかわれたりするたび、恥ずかしくて声が出なくなりそうになるけど、みなみから「よかったね」と言われたら、今度は嬉しさで声が出てこなくなった。

みんなにこんなふうに見守ってもらっていたからこそ、マチは自分の気持ちに気づくことができたのかもしれない。

「うん。高坂さん、明日も来るって約束してくれた。よかった。みんなのおかげだよ」

「塚原がみんなをまとめたからだよ」

「そうかな」

「塚原のそういう、自分の意見をはっきり言えるところが好きなんだ」

さらりと言われた奏人の声に、棒立ちになる。

四月の教室で、書記を断ることができず、自分の意見がはっきり言えないことを悩んでいたマチ――、そんな自分を変えたいと思っていた、あの頃の小さいけれど切実だった願いと決意を思い出す。

私はそれを、実現できたんだろうか。感情が言葉にならないマチの顔を、奏人が覗きこんだ。

「どうかした？」

「ううん。ただ、嬉しくて。私、意見がはっきり言えないこと、悩んでたから……」

「そうなの？　でも、大事なところでは絶対に譲《ゆず》らない。高坂のこともだし、『三年生を送る会』の歌のことも。書記なのに前で手を挙げたあれ、感動したよ」

「本当？」

「うん」

奏人がマチに並んで一緒に校庭の方を見た。そして言う。

「『遠い日の歌』、いい歌だよな」

「三年生を送る会」はもう来週だった。

久々に歌う合唱練習で、マチは初めて紙音の歌声を聞いた。

その場にいるクラスメート全員が一斉《いっせい》に紙音を見た。普段話しているときの声と、全然違う。圧倒される。

この細くて華奢《きゃしゃ》な体のどこにこんな力があるのだろう。

透明感のある彼女の声が自分たちのソプラノに重なるだけで、メロディーにぴんと張りがでる。歌いながら、みんなが紙音の声に聞き惚《ほ》れているのがわかった。

「すごい。高坂さん」

通しで一度歌った後、琴穂に声をかけられた紙音がはにかんだように笑った。アルトパートからやってきたみなみが、紙音に向けて言った。

「これだけすぐに声が出るなんて、あれからもずっと、歌、練習してたんだね」

「声楽の発声で合唱はできないから、声の出し方は少し違うけど」

紙音がゆっくりと首を振る。照れた様子で笑った。

「そう思ってもらえたなら、すごく嬉しい」


「三年生を送る会」当日。

本番の日のステージで、指揮者が手を上げる。

横の紙音も、同じく指揮者の手をじっと見つめている。

そのとき、マチの頭の中を、この一年のことがめまぐるしく駆け巡った。出会えた仲間のこと、テストの成績、自由研究、文化祭、冬の朝の道をみなみと走ったこと、図書室のこと、紙音のこと、それから、それから――。

そしてふいに静かな、何も考えない一瞬がやってきた。

最初の声を、準備する。

人はただ　風の中を　迷いながら　歩き続ける

その胸に　はるか空で　呼びかける　遠い日の歌

歌うとき、自分の声が紙音や、みんなの声と重なり、高く高く、天井《てんじょう》に上がっていくのがわかった。体育館の窓の向こうの空が明るい。春の色をしている。澄みきった空にむけて、マチたち一年五組の気持ちと声が広がり、のぼっていく。

三年生が卒業し、来年からは二年生になり、そうすればこの一年五組のメンバーもまたクラスが替わる。

紙音がおばあちゃんの家に移らずに済むのかどうかはまだわからない。でも、紙音には一番いい形で、自分の居場所を見つけて欲しい。——マチが一年かけて、少しずつそうできたように。

気持ちを歌に込め、マチは願う。

人は今　風の中で　燃える思い　抱きしめている
その胸に　満ちあふれて　ときめかす　遠い日の歌

歌の最後、伴奏《ばんそう》のピアノを聞くとき、体育館の扉の向こうが見えた。淡いピンク色が飛びこんできて、ああ、と思う。

外には、校庭の桜が咲き始めている。

世界で一番美しい宝石

その人を観《み》た瞬間、時が止まった気がした。

大袈裟《おおげさ》じゃなく、まるでよくできた映画の演出みたいに、周《まわ》りの音がすべて消えて、彼女が首を動かす仕草《しぐさ》や、髪が風に揺《ゆ》れて流れるところなんかが、目に鮮烈《せんれつ》に灼《や》きついて離れなくなった。窓から入りこんだ五月の風に色さえ感じられそうな、完璧《かんぺき》な場面だった。

そのとき、その人に惹《ひ》かれた気持ちは、「好き」とか「つきあいたい」とかそんな思いを超越していた。ただ、なんて絵になる人だろう、と思ったのだ。まるで映画や写真に撮《と》られるよう、フィルムに祝福された女神《めがみ》のようだと。

この人が撮りたい、と強く思った。

（一）

「見つけた！　見つけた！　主演女優!!」

放課後の廊下を勢いよく走って技術室に飛びこむと、中に座っていたリュウと拓史《たくし》が顔を上げた。リュウの手には俺《おれ》がこの間レンタルショップでポイントと引き替えてきたばかりの『名作１００選』のカタログ。拓史は下を向いて、いつも通り、何かイラストを描いているところだった。

映画同好会の活動場所である技術室は、糸ノコギリやハンダごてが隅《すみ》に並び、いつ入っても木っかすと油の匂いがする。

「見つけたって、主演は四組の池内《いけうち》セリナじゃなかったっけ」

リュウがテンションの低い声で言った。俺の方をちらりと見て続ける。

「それとも池内への声かけに成功したの？　引き受けてくれた？」

「違う。池内はやっぱなし。ちょっと来てくれよ。今、図書室で見かけたばっかりだからまだいると思う」

「へえ。一平《いっぺい》が女がらみでそこまで熱くなるなんて珍《めずら》しい。――見に行く？　拓史」

一人、我関せずといった調子でまだ顔を上げずにいた拓史にリュウが声をかける。

「美少女？」

拓史がぼそっとした口調で聞く。こいつの話し方はいつもこうだ。必要最低限なことだけを単語だけで短く話す。

「たぶん。俺の美意識が正しいなら」

「どっちの方が？」

自分が描いていたアニメイラストを手に取って示す。目と胸が大きくて、ビキニ型の鎧《よろい》を着たRPG風の女の子が描かれてる。俺は呆《あき》れながら「自分の目で見てみろよ」と答えた。

三人で図書室に向かい、入り口からそっと中をうかがうと、俺が見つけた主演女優候補はさっきと同じ窓辺の席にまだ座っていた。長くて真っ黒い髪が陽光《ようこう》に輝《かがや》いている。先に見ていた俺を押しのけるようにして、リュウと拓史が中を覗きこむ。

「図書室の君《きみ》」

「え？」

拓史がささやくように言った声に振り返る。本棚《ほんだな》の後ろに身を引き、ボソボソとした小声で続ける。

「知らない？　去年の冬くらいから毎日一人っきりで図書室のあの席に座ってるからそう呼ばれてる。陰のあだ名」

「知らない。だいたいその陰のあだ名って何？　誰《だれ》がそう呼んでるわけ？」

「俺を含む、一部の情報通たち」

俺は普段、学校の図書室はまったく使わない。今日はたまたま調べ物があって寄ったけど、それだって本当に久々のことだった。

「立花《たちばな》先輩じゃん」

今度はリュウが言う。顎先《あごさき》に手をあてて、〝図書室の君〟を見つめている。

「え？」

「三年の立花亜麻里《あまり》先輩。確か、演劇部の。覚えてないか？　俺たちが入学した年に、新入生歓迎会で劇やっただろ？　あの主役」

「え？　あの⁉」

思わず声を上げた俺を、リュウが唇の前に人さし指を立てて「しっ」と注意する。出よう、とドアを指差して合図する。

静かだった図書室を出て、廊下のすぐ脇にある非常階段に場所を移して腰かける。俺は急いでリュウに尋ねた。

「『嵐が丘』だろ。あのキャサリンが、あの人？」

「たぶん。っていうか、あの舞台って『嵐が丘』だったんだっけ。俺、よく覚えてないけど、ただ、あの主役の人はすごく華《はな》があるなって思ったから、間違いない」

小躍《こおど》りしたい気持ちになる。映画の主演女優を頼むのに、演技経験があるなんて好都合だ。神の采配《さいはい》だとしか思えない。

リュウが続けた。

「普通、新入生歓迎会で演劇部は公演しないらしいんだけど、あの年は特別だったらしいよ。なんか、あの舞台が大きいコンクールで賞取ったとかで、全校の前で見せようってことになったとか」

「だって、あれ、すごかったもん。俺もよく覚えてる」

だけど、と俺は首を捻《ひね》る。

「そのときと今とじゃ、あの先輩、ずいぶん感じが違わない？」

『嵐が丘』のキャサリンを演じた先輩は、確かもっとおしゃれというか、モダンな雰囲気の人だった。舞台を降りた後、茶色っぽい髪を巻き、丈を短くしたスカートを穿《は》いた一団に囲まれ「よかったよー」とか「さすが、私たちの亜麻里」と、次々声をかけられていた。彼女たちの真ん中で、先輩は「ありがとー」と明るく答えてた。

舞台の上の凛々《りり》しさとずいぶん違うなって思ったから、印象に残ってる。今日の今日まで忘れていたけど。

だけど今見かけたばかりの〝図書室の君〟は、そんなあだ名がついてしまうくらい、古風で楚々《そそ》としたイメージだ。

「演劇部は、やめたの？」

拓史がリュウに聞いた。俺が「え？」と振り返ると、「図書室にいるってことはさ」と説明する。

「演劇部は文系だけど、キホン毎日練習がある体育会系部活だろ。毎日放課後あそこにいるってことは、今暇《ひま》ってことだ」

「あ、そうか」

言われて初めて気がついた。だけど、それだったらなおさら都合がいい。三年生で受験生かもしれないってことは映画撮影にはマイナスだけど、この夏までだったら俺たちにつきあってもらえるかもしれない。

リュウが肩をすくめた。

「そこまでは知らないけど。よかったら、三年の知り合いの先輩に聞いてみるよ」

「頼む。——それにしてもリュウ、よく立花先輩のことすぐわかったな」

「美人だからね」

さらっと答えたリュウが、次の瞬間、嬉《うれ》しそうなにやにや笑いを浮かべる。

「だけど、そうかー。一平の趣味って立花先輩みたいな人なんだ。いっつも古い洋画の女優の名前とかしか挙げないから、現実の女に興味ないのかと思ってた」

「うるっせーな。そんなんじゃねえよ。ただ主演を頼みたいってだけで」

答えながら、耳が熱くなった。それから、恨《うら》みがましい気持ちになって言う。

「だいたい、お前が最初から誰かに声かけてくれればそれで済む話なのに、嫌《いや》がったんだろ。池内の件もそうだけど」

主演女優を探すのは、正直、楽勝だと思ってた。俺たちが目をつけた子にリュウがそのジャニーズ系の容貌《ようぼう》を生かして、一言《ひとこと》声をかけてくれさえすれば、相手は簡単にひと夏くらい協力してくれるだろうって。

だけど、リュウは頑《かたく》なに拒《こば》んだ。「そういうのは部長がやらなきゃ意味がない」とか「俺が声かけたなんて理由でやってくれる女子が、大事な映画の主演でいいわけ？」とか、口では尤《もっと》もらしいことを並べていたけど、こいつはたぶん、やる気がないだけだ。

「お前、映画本気で撮る気ないだろ？」と思いきって問いかけると、リュウは悪びれもせずに「バレた？」とペロッと舌を出した。

「部室でだらだら映画の話をしてる分には楽しいけどさ。自分たちで撮るのはちょっとなあ。めんどくさくない？　あ、もちろん一平がきちんと女優を見つけてきたらそのときはその勇気に免じて、俺もしっかりやるよ。そこは心配しないで」

「勇気って何だよ」

「だって、一平が名前を挙げるような子たちって、一平、一度も口利《き》いたことないような子ばっかでしょ？　いきなり話持ってく勇気ある？」

唇《くちびる》を引き結ぶ。苛立《いらだ》ったけど、図星《ずぼし》だった。

だけど、立花先輩にだったら、その勇気を振り絞ってもいい。それぐらいあの人には映画向きの雰囲気《ふんいき》があるし、何より、同学年の女子より他学年の先輩相手の方が何となく気が楽だ。

いつか映画に関わる仕事に就《つ》くことが、俺の夢だ。できたら、監督《かんとく》。自分の映画がスクリーンで上映される日が来たら――と考えただけで、興奮《こうふん》に武者震《むしゃぶる》いがする。

大きく息を吸いこんで「きちんと協力しろよ」とリュウを睨《にら》む。リュウはどこまでやる気があるのかわからない顔つきで「わかってるって」と答えた。

カリカリ、と音がして、見ると、拓史が階段の壁に今日の授業で配られた数学のプリントをくっつけて、裏に絵を描いていた。こいつもやる気あんのかよ、と手元を覗《のぞ》きこんで、わあっと思う。

立花先輩が描かれていた。

本を開いて、窓辺の向こうを眺めてる。普段拓史が描くイラストより、アニメ色も抑《おさ》えめだ。同じくそれを見たリュウが「お、似てる」と微笑《ほほえ》んだ。

（二）

俺、武宮《たけみや》一平と生田《いくた》リュウ、平野《ひらの》拓史の三人は、県立若美谷《わかみや》高校の二年生。映画同好会に属している。

映画同好会。

悲しいことに映画〝部〟じゃなくて、〝同好会〟。

若美谷高校では、部活に認定されるのは部員が四人以上で、かつ顧問《こもん》を引き受けてくれる教師がきちんといる場合のみ。残念ながら、映画同好会はその条件を両方とも満たしていない。

部と同好会の差なんてそんなにないと思われがちだけど、同好会は学校の正式な活動として認められないから、部費がつかないし、新入生歓迎会のような場所で大っぴらにステージに立って部員を勧誘するような機会ももらえない。何より、非公式の冷遇された扱いだというのは、気持ち的にけっこうこたえる。

映画同好会のスタートは、俺と、アニメ好きの拓史の二人。拓史は、中学時代から仲がいい、俺の悪友だ。

ともにこの高校に入学した日、配られた小冊子に並んだ部活名のリストを眺めながら、拓史が「どれも入りたくない」と言ったとき、俺もまったく同感だった。部活動に熱心な若美谷高校は、部活は全員参加が義務づけられていた。

中学時代、俺も拓史も英語部だった。特に英語が得意だったとか、海外に興味があったわけじゃなくて、それが一番目立たなくて、活動も楽そうだったからだ。そして、そういうふうな部活選びは中学まででやめておこうと、お互いに決めていた。

映画部を作りたいという俺と、アニメイラスト部を作りたいという拓史と、意見は割れたけど、結局人数がいた方が新しい部活の立ち上げには有利だということで、じゃんけんして、俺が勝った。拓史は不満そうだったけど、少ししたら、俺が考えるカメラワークに絵コンテをつけてくれるようになった。人数や機材がそろわないし、映画を実際に撮れる目処《めど》はまったく立たなかったけど、そうやって大学ノート何冊分もの、〝いつか撮りたい映画の構想〟を描くのは、本格的な活動になってきた気がして楽しかった。

そこにリュウが加わったのは、まだこの前の一月のことだ。活動場所の技術室に、ふらっとヤツが現れたのを見た瞬間、俺は何が起きたのかと思った。

生田リュウ。

違うクラスだけど、女子たちが騒いでいるから顔と名前は知っていた。アイドルの誰々《だれだれ》に似てるとか、いや、似てないけどそれよりかっこいいだとか、俺や拓史には無縁そうな言葉を、その整った容姿に一身に受け、しかも成績がよく、運動神経も抜群——

という、ナチュラルボーン嫌味のようなヤツ。同じ学校に通っていても、正直、卒業まで、俺とは一言だって口をきくことのないタイプだと思ってた。何しろ、こっちは、女子と会話したことなんて、中高合わせて全部で一時間ないようなレベルの低さなのだ。しかもその大半が「教科書見せて」とか「消しゴム取って」とか、そんな内容。リュウと俺たちとじゃ人種が違う。

しかし、現れたリュウは、驚いたことに「入部希望なんだけど」と告げた。

「うちの学校にこんな同好会があったなんて知らなかった。仲間に入れてよ」

「映画、好きなのか？」

「いや、全然。ほとんど観たこともないけど」

期待に満ちた俺の声に、あっさりと首を振る。ならどうして――、と続けようとしたところで、先回りするようにヤツが答えた。

「入学してからずっと、部活何も入らないでいたら、運動部からの勧誘がうるさくてさ。だけど俺、部活づけの毎日は中学の頃《ころ》サッカーで懲《こ》りてるから、もう何も入らないって決めてるんだ。映画同好会ってさ、同好会だけど、これ入れば部活やってるのと同じ扱いになるんでしょ？　そしたら、もうどこからも勧誘されなくて済む」

ぽかんとする俺たち二人に向け、リュウは鼻筋の通った目の大きな顔立ちに、優美《ゆうび》としか言いようのない微笑みを浮かべた。

「君たちにとっても、部員が増《ふ》えるのは望むところなんじゃないかな？　どう？」

バカにされてる気がしないでもなかったし、なんて嫌味なヤツだ！　とはらわたが煮えくり返る思いもしたけど、言われた通り、部員が一人でも増えるのはありがたかった。それに、リュウが入れば、この見た目だ、主演俳優が確保できる。こいつ目当てに他の女子だって入部してくれるかもしれない。

しかし、期待と裏腹《うらはら》に女子部員は増えなかった。それもこれも全部、リュウが入部希望の女子たちに冷たくして、追い返してしまうからだ。

「だって、せっかく静かにできる場所を見つけたのに、それじゃ意味がなくない？」

眉間《みけん》に皺《しわ》を寄せて怒るリュウの言い分は、俺からして見ると、相当なわがままだ。こっちの身にもなってくれ、と思うが、俺がリュウを許しているのは、こいつが、意外にも映画に興味を示し始めたからだった。

名前だけおいて、活動なんかまったくするつもりがないと思っていたのに、放課後になると律儀《りちぎ》に毎日技術室にやってくる。「で？　どれが面白いの？」という声に、どうせ観ないんだろうけど、とそれでも何本かの名前を挙げた。

やけくそな気分だった。

中学の頃、同じクラスのヤツに、観た映画の感想や好きなシーンを記録してるノートを見つけられて、「お前、映画なんか好きなのかよ」と笑われた。「こんなノート作るなんて、オタクじゃん」と。

「どんなのが好きなの」って聞かれて答えた『小さな恋のメロディ』のタイトルを笑われ、「やっべー、『小さな恋のメロディ』」と揶揄《やゆ》された。ただ名前を復唱しただけのからかいは何も面白くないはずなのに、なぜか女子にも男子にも大ウケで、俺はしばらく「コイメロ」というアダ名で呼ばれた。

泣きたかった。

リュウも、きっとそういうヤツらの一人だろう。どうしても耐《た》えられなくなったら、映画同好会、やめてもらうように頼もう。そう思っていたのに、リュウは、その翌週、俺が薦《すす》めた映画全部を観てきた。その上、「すっげえ、よかった！」と興奮《こうふん》した様子で話しかけてきたのだ。

「マジで？　どれが一番よかった？」

「気に入ったのは、『アマデウス』。モーツァルトって音楽の時間でしか名前聞いたことない偉人って感じだったけど、すっげえ、この人、生身《なまみ》の人間じゃんって思った。それを見てるサリエリとの関係とか。天才のことがわかる秀才ではあるっていうあの感覚、観ててせつなかった。俺、あの映画、サリエリの方が好きなくらいかも」

それから、と言い添《そ》える。

「あれもよかった。『小さな恋のメロディ』。トロッコに乗って逃げるラストシーン。あれ、ぐっときた」

「そうなんだよ！」

思わず声を上げていた。わかってくれるのか⁉　という思いで胸が熱くなった。リュウは頷《うなず》き、「一平ってすげえな」と言った。バカにする様子はなかった。

「俺、映画なんて全然興味なかった。一平はこんなすごいの、これまで何本も観てきたわけ？　きっかけは？」

「父親も母親も仕事でいない日が多くてさ。子供の頃から一人で過ごしてたから、それで自然と」

小学校時代から一人きりの夕飯に慣れっこで、そういうとき、俺は決まってWOWO

Wで放映される映画を観ていた。そのときの最新作から、古典と呼ばれるような名画まで。幼い頃に観た映画には、また格別な思い出が宿る。

映画同好会。

リュウと拓史、二人の顔ぶれを見ながら、悪くない、と思った。確かにまだ同好会の域を出ない活動しかしてないけど、いつかきちんとこのメンバーで映画を撮りたい。部に昇格させたい。――考えて、考えて、俺は部長として、この春にあるひとつの決断をした。

毎年、秋になると高校生映画コンクールがある。そこに自分たちで撮った映画を出品するのだ。

もちろん部費もつかないし、機材だって他の部に借りたり、自腹《じばら》を切らなきゃならない場合もあるだろう。だけど、とりあえず、やってみることが大事だ。コンクールで何らかの結果が残せれば、今はマイナーな同好会だって、部員が増えてくれるかもしれない。

主演俳優はリュウ。脚本は、これまで拓史と何本も絵コンテを描きためてきたものがある。それにリュウは手先も器用だし、拓史も絵が描けるから、小道具作りだって問題ない。

　――最大の懸案事項《けんあんじこう》は、今のところ主演女優だ。

　もちろん、入部してもらえるなんて思ってない。今回だけでいいから協力してくれる誰かを、俺たちはもうずっと探していた。

〝図書室の君〟立花先輩に出会ったのは、まさにそんなタイミングだったのだ。

（三）

　翌日、図書室に寄ると立花先輩はいなかった。

　会ったら話しかけて誘《さそ》わなきゃならないかな、と思ってた俺は、情《なさ》けない話だけどちょっとほっとする。

「残念、今日はいないな」と口だけは威勢よく言って、立花先輩が座っていたあたりに行ってみる。

　すると、図書室のカウンターでくすっと笑い声がした。あわてて顔を上げると、司書教諭の海野《うみの》先生だった。俺たち三人の方を見ながら「あ、ごめんなさい」と謝《あやま》る。

ひょっとしたら、昨日からの一連の出来事をずっと見ていたのかもしれない。恥ずかしくなりかけたところで「あなたたち、映画部の子たちだよね」と聞かれた。

本当は〝同好会〟だったけど、〝部〟扱いされたことが嬉しくて、そのまま「はい」と頷く。

「立花さんに用事だった？　さっきまでいたんだけど、もう帰っちゃったみたい。また明日、来るんじゃないかな」

「そうなんですね」

頷いた俺の横から、リュウが「先生は立花先輩と仲いいんですか」と聞いた。海野先生が「毎日来てくれるからね」と微笑む。

「オススメの本を教えあったり、感想を話したりしてる。立花さんは、放課後だけじゃなくて、お昼もよく来てくれるし」

どこまで事情を察したかはわからないけど、海野先生が「がんばってね」と俺たちに向けて言ってくれた。

廊下に出ると、拓史が図書室のドアを振り返った。油っぽい、のっぺりした前髪の向こうにある分厚い眼鏡をかけ直す。

「主演女優。俺は正直、立花先輩より海野先生がいいな」

爆弾《ばくだん》発言だ。

「マジで？」と振り返った俺の隣で、リュウが楽しそうに「へえ」と頷く。

「最近、なんかいいな。一平だけじゃなくて拓史の好みまでわかるなんて思わなかった」

「でも、海野先生って、若く見えるけど、俺らの母親くらいの年だろ？　それに、結婚してるし」

「わかってるけど、単にタイプの問題として。俺、将来的にはああいう奥さんがいる家庭が理想」

「もう奥さんの話かよ」

うんざりしながら言う。

だけど、海野先生は訪れる人を癒《いや》してくれるようなほわーっとした魅力の持ち主だ。男女問わず生徒からの人気も高いし、図書室に来た人みんなの味方になってくれるような優しい雰囲気を持ってる。〝図書室の君〟である立花先輩も、そんな海野先生の図書室を気に入っている一人なのかもしれない。

次の日の昼休みに、リュウがさっそく立花先輩の情報を仕入れてきた。

三年生に知り合いがいるなんて、リュウはさすがだ。俺も拓史も、中学の頃まで含めて、たとえ部活が一緒だったとしても他学年に仲のいい先輩後輩なんていたことがない。

「立花先輩、やっぱ演劇部やめてた。『嵐が丘』の成功のすぐ後で、別の舞台の準備してる真っ最中の引退だったたって」

「何で？　理由は？　病気とか怪我《けが》とかそういうこと？」

「それが、そういうんじゃないみたい。理由もわからずに、いきなりやめますって言ってそれっきり。みんな引き止めたけど、無駄《むだ》だったたって」

リュウが首を傾《かし》げた。

「一平も昨日言ってたけど、雰囲気が変わったのもその頃らしいよ。それまでの友達と急につきあいが悪くなって、なんとなく人を遠ざけるようになった。制服とか髪型とか、持ち物の雰囲気もちょっと変わった気がするって、教えてくれた先輩も不思議がってた。――もし詳《くわ》しい話が聞きたいなら、演劇部で一緒だった先輩を紹介してくれるって言ってたけど」

そこで、リュウがため息をついた。俺の目を覗きこみ「だけど、そこまでする？」と尋ねてくる。

「なんか、人のことをこそこそ嗅《か》ぎ回るのって俺の性《しょう》に合わないんだよね。行くならもう、堂々と正面から頼もうよ」

「わかった。リュウ、ありがとう」

明日から、もう六月だ。映画を撮るのに、確かに、足踏みばかりはしていられない。

（四）

「映画に出てくれませんか」と単刀直入に話しかけたら、息がつまった。

何度も頭の中でシミュレートして、もっと完璧に言えるはずだったのに、声がガタガタになって喉《のど》に絡《から》む。

図書室のいつもの窓際《まどぎわ》で、読みかけの本からすっと顔を上げた立花先輩の目が瞬《しばたた》かれた。

「え、と。俺、怪しいものじゃないです。うちの高校に映画同好会ってあるの知ってますか？　あ、あの知らないのが普通なくらいの、部員三人だけの小さな同好会なんですけど」

黙ったままの立花先輩からの第一声を聞くのが怖くて、つい余計な言葉を重ねてしまう。横のリュウと拓史は憎らしいことにさっきから一言も俺を援護《えんご》してくれない。チクショウ！　と、裏返《うらがえ》った声を恨みながら、なおも話しかけようとしたそのとき、ふいに立花先輩が読んでいた本に栞《しおり》をはさんで閉じた。俺たちを見つめる。

「映画？」

透明感のある、器《うつわ》いっぱいに張った水を連想させるような声だった。近くで見ると、改めてきれいな人だ。

だけど、次の瞬間、彼女の口から出た言葉に落胆《らくたん》させられる。

「出ないわ」

あっさりとした言い方だった。だけど、これぐらいは覚悟の上だった。「そこを何とか」という声が、今度はきちんとすんなり口をついて出た。

「俺、新入生歓迎会で観た『嵐が丘』のキャサリンに痺《しび》れたんです。子供時代と大人時代、両方を先輩がやってましたけど、同じ人がやってるとは思えないほど雰囲気がまったく変わってて。――中学までと違って、高校って本当にレベル高いんだって、洗礼《せんれい》を受けた気がしたんです」

「洗礼」

「え？」

立花先輩が首の角度を少し変え、上目遣《うわめづか》いに俺を見た。目がまともに合ってドキリとする。それから、ゆっくりと首を振った。

「その言い方は好きだわ。洗礼を受けた、なんて言葉を日常生活で遣う男子にこの高校で会えるとは思わなかった」

どうやら好感を持ってもらえたらしいとわかるまで、長く時間がかかった。じゃあ、と身を乗り出しかけた俺に、しかし、先輩がにべもなく告げる。

「ありがとう。嬉しいけど、もう私、演劇部をやめてしまってるし、部活をやめてる手前、これ以上目立つことはちょっと、ね。やりたくない。ごめんなさい」

「どうしてもダメですか？」

今日から衣替《ころもが》えした夏服の半そでが、スースーとまだ肌寒かった。先輩がくり返した。

「ごめんなさい」

言葉遣いは柔《やわ》らかいけど、有無《うむ》を言わさぬ口調だった。読みかけだった本を開いて、目線を戻してしまおうとする。

その瞬間、先輩の睫《まつげ》の先に光がこぼれた。窓の上から注ぐ陽光《ようこう》が、彼女の顔に薄い影を浮かべる。

肩を落として帰ろうとしていた俺の目に、その光景がくっきりと飛びこんでくる。その瞬間、頭の端に電気が走った。

諦めきれない。この人のこの表情を、撮りたい。

「また来ます」

はっきりと言った俺を、リュウと拓史が驚いた顔をして見ていた。「無駄よ」と本から目線も上げずに立花先輩が言う。

「ついでに言うなら、迷惑《めいわく》だわ」

「迷惑でも、また来ます。失礼しました」

先輩は答えなかった。俺はぺこりと頭を下げて、図書室を後《あと》にした。

廊下に出てすぐ、リュウが後ろから「ガッツあるね」と感心した声で話しかけてきた。

思い出したように、胸が激しく鼓動《こどう》を打つ。全身から、ふーっとため息が洩《も》れる思いだった。

なるべく平然と見えるように言ったけど、背中とわきの下は汗でぐっしょりだった。

「本当」と拓史が相槌《あいづち》を打つのに、「おう」と答える。

一度声に出してしまったことって結構強い。

また来ます、と宣言してしまったことで、俺は、後に退《ひ》けなくなった。本を読む立花先輩の元に毎日通う。

「また来たの？」と顔をしかめる先輩は心底めんどくさそうだったけど、俺はめげずに映画同好会の窮状《きゅうじょう》を訴えた。三人しか部員がいないこと、あと一人入部して四人そろえば正式な部活に認定されそうなこと。そのためには、この秋の大会にフィルムを出品して、学校に活動を広く知らしめる必要があること。

「お願いします。そのためには先輩の力が必要なんです」

「それやって、私に何かメリットあるの？」

「ないですけど」

正直に言ってしまってから、あわてて訂正《ていせい》する。

「だけど、楽しいと思うんです。それじゃダメですか？」

「ふうん」

気のない一瞥《いちべつ》をくれて、先輩が顔を前に向け直してしまう。ああ、今日も脈《みゃく》なしだ。

もう一押《ひとお》し勧誘したい気持ちをぐっとこらえて「失礼しました。また来ます」と頭を下げる。

先輩は答えなかった。

「あー、もう！」

技術室に戻ってすぐ、声とともに頭をかきむしった俺に、リュウと拓史が同時に「お疲れ」と声をかけてくる。今日で一週間目だった。

「その様子じゃ、今日もダメだったみたいだね」

「つつーか、お前らも少しは協力しろよ。ついて来たの、初日だけだろ」

「だって」

二人が顔を見合わせる。

「俺たち、実はちょっといいなって話してたんだよ。一平のこと。最初あれだけ渋ってたのに、毎日女の子を口説《くど》きに通うなんてたいした度胸《どきょう》だと思って。しかも一人で。見直した」

「〝口説く〟って言い方は誤解を招くからやめろよ。だいたい、このままじゃ引き受けてもらえる気がしない。あー、もう！」

「俺、イケると思うけど」

拓史が軽い調子に言う。バカにしてるのかと睨《にら》み返す準備をしたところで、拓史が思いのほか真剣な顔をしてることに気づいた。こいつのこういう顔は珍《めずら》しい。

「立花先輩、脈はあると思う」

「どこがだよ。さっきも全然脈なしって感じだった」

「だけど、毎日図書室に来てる。一平がしつこく毎日来ることはわかってるはずなんだから、本気で嫌だったら本だけ借りてさっさと帰るはずだ」

「あ」

「今日で一週間だけど。もうちょっと続けてみれば。熱意があるなら」

熱意。

ぐっと来る言葉だったけど、お前らも少しはその熱意を持ったらどうだ、と面白くない気持ちもある。肩で深呼吸してから椅子《いす》に腰を下ろすと、俺の持ってきた映画雑誌を読んでいたリュウが「だけど、なんでそんなに立花先輩にこだわるの」と尋ねてきた。

「いつまでも立花先輩だけを候補にしてるのも効率悪いだろ。コンクールに出す映画はこの夏に撮らなきゃならないんだから。前に言ってた池内とかにもあたれば？」

「ただコンクールに出すだけじゃ意味ねえよ。入賞しなきゃ映画同好会の知名度は上がんないし、そのためには立花先輩じゃなきゃ」

「それに、どうしてそこまで部への昇格にもこだわるわけ？　今の同好会のままでも十分楽しくない？　こぢんまりと少人数で活動するのもそれはそれで悪くないし、むしろ俺、このままの方が居心地いいな」

リュウは、自分が中学まで運動部に所属していたから、なおのことそう思うのかもしれない。だけど、俺は首を振る。

「部に、しときたいんだよ。一度でも四人だった瞬間があって正式に部になれば、映画部の名前はきちんと残る。そしたら来年、入賞の実績と一緒に新入生が勧誘できる。——俺みたいな映画好きに、居場所が残るじゃん」

そして若美谷高校の部活は、一度部になってさえいれば、部員が四人から減っても最後の一人がいなくなるまで存続し続ける。俺たちの代で作っておけば、この先ずっと、今後入ってくるであろう映画好きに、映画部の門戸《もんこ》が開かれ続けることになるのだ。

「――学校は誰のものなのかってよく考えるんだ」

「は？」

リュウがきょとんとした表情を浮かべる。

「誰のものかって、どういう意味？」

「うーん。うまく言えないいんだけど、学校ってよく生徒みんなのものって言われるだろ？　だけど、それって本当にそうなのかなって、俺、昔からよく考えるんだ。クラスの中の目立つヤツと目立たないヤツ、両方が同じ学校に通って同じ校舎を使ってるけど、そこで見えてる景色や、考えてる内容はまったく違うんだろうなって」

こんな言い方でリュウに理解してもらえるとは思わなかった。だけど、続ける。

「たとえば、運動部って大きな大会の前に、壇上に上がって応援とか壮行会とか、華々しくやってもらうだろ？　あそこで送り出されるような運動部のエースが、自分と同じ学校を共有してるなんてとても思えないっていうか……」

「ふうん。そんないいもんでもないけどなあ、実際に壇上に上がっても、立ちっぱなしで足が疲れるだけでさ」

リュウはサッカー部だっただけあって、壮行会だって経験済みなのだろう。俺は複雑な気持ちで「うーん」とまた声を上げる。

「ともかくさ、学校って、そういう晴れがましい大舞台だけがすべてじゃないと思うわけ。書道部だって英語部だってそれぞれの活動はしてるわけで、そういう、応援団が横で応援してくれるような青春じゃなくても別にいいんじゃないかって思うんだ。学校は何も、一部のわかりやすく青春を謳歌《おうか》してるヤツらだけのもんじゃないってことを証明したいっていうか……」

言いながらだんだん口調がしどろもどろになっていく。あんまり自虐的になってしまうのは嫌だから、どうしても核心をぼかすような言い方になった。

素直に認めてしまうなら、それはつまり、俺は自分が学校の主役じゃないことを知ってる、ということだ。

口に出して確認し合ったことはないけど、おそらく横の拓史だってそう思ってる。

スポーツで健全に汗をかいたり、女の子とつきあったり、友達をたくさん作ったり。

学校はみんなのもの、なんていうのは大嘘《おおうそ》だ。学校は、俺たちじゃない、そういうことが何のてらいもなくできる〝彼ら〟のものだってことを、俺は知ってる。

クラスの中心にいるような目立つタイプの生徒の青春が、教師や大人《おとな》たちに推奨《すいしょう》され、世間一般にもいいって言われる。同じ学校に通ってても、俺たちみたいな映画やアニメの趣味を楽しむ層はどっちかっていうとマイナー扱いだ。

映画部を作りたいと思ったのは、意地のような部分もあった。俺たちが学校の主役になれるような、――少なくとも、部内にいる間だけはそう感じることができるような場所を作ることが、入学した当初からの、俺の目標だった。

「ともかく、夢だったんだ。映画部を作ることと、いつか、本格的に映画を撮ること。実際の映画監督たちの経歴を見ると、みんな早いうちから行動起こしてるんだよ。尊敬する映画人たちの仲間入りをもし自分もできるなら、死んでもいい」

死んでもいいなんて熱い言葉は、リュウみたいなクール系には嫌がられるかと思ったけど、俺の話を聞き終えたリュウはただ「ふうん」と頷いた。

それから、

「ねえ。さっきの話だけど、書道部が書いてる横で応援団が騒ぐとしたら、それって最高に迷惑でシュールな光景だよね」

と言って、笑った。

横の拓史は、相変わらず黙ったまま、大学ノートに新しい絵を描いてる。俺の話を聞いていたかどうかもわからない。目線は上げないままだった。

家に帰ると、玄関に親父の靴《くつ》があった。最近、仕事づけだったのに珍しい。

「おかえりなさい」

駆け寄ってきた母さんに、「父さん、帰ってるの？」と尋ねる。

「先にご飯にしてるの。本当は一平と食べたいって待ってたんだけど、一平が遅かったから」

家の奥からひき肉とたまねぎをいためたいい匂《にお》いがした。デミグラスソースの匂いも混じってるから、今日の献立は、どうやらうちの母さん得意のハンバーグだ。親父がたまに早く帰ってきたから、気を遣ったのかもしれない。

リビングから世界陸上の中継を流す、テレビの音が聞こえた。選手の名前を紹介する声がする。

「ただいま」と顔を出すと、ビール片手に夕飯を食べてる親父と目が合った。「お。一平」と呼びかけてくる。

「遅かったな。今日はせっかく一緒に夕飯が食べられると思ってたのに。何してたんだ？」

「部活」

「部活？　お前、何か入ってたっけ？」

なにげない口調だったけど、責められているように感じた。「鞄《かばん》、置いてくる」と言い放って部屋に戻る。

自分の部屋で後ろ手にドアを閉めた途端、ふうっと長いため息が出た。

映画同好会の話を、俺は親父に話してない。中学高校と陸上部で俊足をウリにしていた両親の血を、俺はまったくと言っていいほど継承していなかった。小学校の頃から運動会やマラソン大会は後ろから数えた方が早い順位だったし、そうやって運動に苦手意識がついてしまったら、球技全般もボールが回ってくるのが怖《こわ》くなった。

中学で、運動部を避けて英語部に入ったときの、親父のあの落胆したような、残念そうな顔。

英語は別に得意じゃないけど、楽そうだから入ると教えたら、「それでいいのか？」と尋ねられた。目の中に、運動部に入って欲しい、という露骨な期待が見えていた。親父みたいな人間には、きっと一生、俺の気持ちはわからない。陸上部で何のためらいも後ろめたさもなく健全な青春を送り、その後、名のある大学の薬学部を卒業して、大手の製薬会社で今は研究職に就《つ》いている。

充実した仕事をしているのかもしれないけど、昔から俺の中で親父は仕事第一主義って感じだった。「時間がない、時間がない」って口癖のように言ってて、俺は父親参観や親子レクのような学校行事にも親父に参加してもらった記憶がほとんどない。母さんだって、父さんの仕事の忙しさに根負《こんま》けするようにして、勤めていた会社をやめてしまった。それまでは結構優秀な化粧品のセールスレディだったらしいのに、今は家庭に入ってうちのことを完全に任されている状態だ。

親父から見たら、俺みたいな文系男子はきっと何が楽しくて生きてるかわからないんだろうな、と思う。だけど、俺からしてみると、逆に親父の生き方のほうが意味不明だ。順風満帆《じゅんぷうまんぱん》な学生時代を送って、仕事にかまけ、たまに早く帰れた日には野球かスポーツの実況中継やニュースを肴《さかな》にビールで一杯。

そんなつまんない生き方、俺は御免《ごめん》だ。

母さんから前に「勉強しなさい」って注意されたとき、「お父さんだって、中学までは勉強が全然できなかったのよ」と教えられたことがある。そこから死《し》に物狂《ものぐる》いで勉強して、それでどうにか大学に入って、今の仕事に就いてるんだって。

だけど、そういう話を聞かされれば聞かされるほど、俺の気は滅入《めい》っていった。親父が昔はできなかったなんて信じられない。高校に入って最初に配られた進路指導の表で、薬学部の欄《らん》はどこもとんでもなく高い偏差値が並んでた。ここを目指そうってだけで最初の素養が違うはずだ。

どうあがいたって、百メートルを最初から九秒で走れる人間と走れない人間は、生まれつき決まってる。

暗い部屋の中で、斜めがけにしていた鞄をベッドの上に投げ出す。リビングの方から、「お、いいぞ。いけ！」と実況中継に声援を送る親父の声が聞こえてきた。

夜になって、リュウから携帯にメールが入った。

内容は立花先輩がらみ。一斉送信で、拓史の名前も入っていた。

『部活をやめる少し前、立花先輩は、新聞部部長の三根《みね》先輩に告白されて困ってた模様。フッたらしいけど、その頃から様子がおかしくなり始めた気がするって。この間の先輩が、演劇部で一緒だったっていう先輩に聞いてくれたから、念のため、報告まで。』

告白、とかフッた、という単語は正直得意じゃなかった。

まあ、あれだけきれいならそりゃモテるよな、と思ったけど、心のどこかでチクリと棘《とげ》がささるような寂しさも感じる。

『情報サンキュー』と返信を打ってから、ひょっとしたら、リュウはわざわざ調べてくれたのかもしれないと思い当たった。

どうして映画同好会を部にしたいのかと聞かれて答えた、要領を得ない俺の話を、リュウはリュウなりに、ちゃんと受け止めてくれたのかもしれない。

サンキュー、リュウ。

文面とは別にもう一度、心の中で呟く。

（五）

「いい加減、しつこいわね」

今日の立花先輩は、眉をぴくりとも動かさず、冷静な口調でそう言い放った。読みかけの本から、最近ではまったく顔を上げてくれない。俺はうざがられるのを覚悟で「しつこいです」と答えた。

「すいません。だけど、立花先輩が撮りたいってもう決めてしまったので」

「私なんか撮ってもどうしようもないと思うけど……」

「そんなこと」

ありません、と首を振ろうとしたところで、立花先輩がいきなり顔を上げた。

「悪いけど、そろそろ本格的に迷惑だわ。私はここでゆっくり本が読みたいだけなの。もう諦めてくれない？」

「嫌です」

はっきりと答えることができたのは、拓史の言葉のおかげだった。

立花先輩はまだ図書室に通い続けている。今日で丸二週間。本当に俺たちの勧誘が嫌だったら、来なければいいだけの話だ。

俺の拒絶に、立花先輩が面食らったように目を見開く。考えこむような沈黙があった後で、先輩が「じゃあ」と形のいい唇を開いた。

「条件を出してもいい？ とても個人的なお願いになるんだけど」

「はいっ！」

声が上ずった。

この二週間で、初めての態度の変化だ。先輩が言った。

「小さい頃に読んだ、どうしてももう一度読みたい本があるの。近所の図書館で借りたんだけど、わかるのは前半の内容だけで、タイトルも、どんな表紙だったかも思い出せない。昔からずっと探してるんだけど、見つからないの。その上、誰に聞いてもそんな話は知らないって言う」

「本、ですか？」

「そう。長い間、その話の結末が気になってる。探してきてくれない？ もし君たちが見つけることができたら、映画に出ること、考えてもいい」

先輩が「できる？」と尋ねる。

「もっとも、私が何年もずっと探してきて見つけられなかったものを、君たちが短い期間で見つけようっていうのは無謀《むぼう》かもしれないけど」

「やります」

即答《そくとう》していた。先輩の目が挑《いど》むように少し細くなって、俺を見た。俺はくり返した。

「やります。どんな本なのか、先輩の覚えてる範囲で構わないので、その本の内容、教えてください」


宝石職人の話なのだと、彼女は語った。

読んだのはもう十年以上前。立花先輩がまだ小学校低学年の頃。

「人気《にんき》のない、売れない宝石ばかりを作ってた職人の元に、ある日、魔法使いが現れてこうささやくの。『世界で一番美しい宝石を作れる才能を、お前に授けよう。ただし、そのためにはお前は家族も友達も、これまで築いてきたものすべてに別れを告げなければならない』」

立花先輩が本の中のセリフをなぞったとき、声が微《かす》かにこもって低くなった。場違いに、俺はその声に感動した。きちんと声音《こわね》が変わって悪い魔法使いらしく聞こえる。

「その結末がね、知りたいの。その宝石職人がどうしたのか。世界一の宝石と、自分のすべてをひきかえにしたのかどうか。読んだはずなんだけど、覚えてないの」

先輩の口元にふっと笑みが浮かんだ。

「児童書の扱いだったか、それとも絵本だったか——、図書館で読んだことだけは覚えてるけど、詳しいことはさっきも言ったように覚えてない。どう、これだけで探せる？」

「やってみます」

頷くしかなかった。これはようやく見えた大事な突破口《とっぱこう》だ。映画原案や絵コンテを書きこむのに使ってる大学ノートを開き、メモを取る。

「ただ、いくつか質問していいですか？」

「どうぞ。答えられることなら」

「他にその本に関して覚えてることはありませんか？」

「ないわ。何もない」

間髪《かんはつ》をいれずに答えが返ってくる。

「ついでに言うと、それらしい単語を打ちこんでインターネットで調べるなんてことも何度もやった。ヒット件数はゼロ」

「先輩がその本を読んだ図書館には聞いてみたんですか？」

「聞いたし、探したけど見つからなかった。ずいぶん前のものだし、誰かが借りっぱなしにしたまま、紛失してしまったのかも」

「どこの図書館ですか？」

このあたりなら、県立図書館か若美谷市立図書館かな、と思いながら尋ねると、思いがけず、それまでよどみなかった先輩が一拍《いっぱく》沈黙した。あれ、と思ってノートから顔を上げると、先輩はすぐにいつも通りの顔つきに戻って、「——入沼《いりぬま》市立図書館」と答えた。

入沼市は隣の県だ。どうしてそんな遠いところの図書館を、と尋ねようとしたところで、先輩が先に言った。

「だけど、そこに聞いても無駄よ。私が散々《さんざん》確認したんだから」

「わかりました。だけど」

「中学まで、私、そっちに住んでたの。親の転勤の関係で、こっちに来たのは高校から」

先輩が「これでいい？」と俺を見た。声がピリピリと張りつめて聞こえた。俺はその様子に圧倒されながら「はい」と頷く。

だけど、最後にもうひとつだけ、聞いてみたくなった。

「立花先輩」

「何？」

「先輩は本当に、本が好きなんですね」

スティーブン・キングにレイ・ブラッドベリ、ポール・オースターに司馬遼太郎《しばりようたろう》、田中芳樹《たなかよしき》に荻原規子《おぎわらのりこ》。図書室で読む先輩の手元の本は、毎日違う。一日一冊のペースで読んでるってことだ。きっと、家に帰ってからも。

それまで露骨に不機嫌そうだった先輩が、俺の声を受けて拍子抜けしたような表情を浮かべる。俺が「失礼しました」といつものように頭を下げると、「そうよ」とタイミングの遅れた返事があった。顔が怒っていなくてほっとする。

「本を読むの、大好きなの」

その日から、俺たち三人の本探しが始まった。

まず最初にやったのは、ネット検索だ。「宝石職人」「童話」「世界一美しい宝石」「すべてとひきかえ」などなど、いろんな組み合わせでキーワードを試すけど、すでに先輩が試したと言った通り、成果はゼロだった。

「立花先輩の記憶違いってこともあるんじゃない？」

初夏を迎え、冷房がきき始めたパソコン室でキーを叩きながら、リュウが聞く。俺は頷きながら「でも」と返す。

「たとえ記憶違いだったとしても、ヒントはそれだけしかない。探そうぜ。もうこれに懸《か》けるしかないんだから」

「なんか楽しくなってきたね。俺たち、探偵みたい」

リュウの声は相変わらず他人事《ひとごと》のようではあったけど、満更《まんざら》でもなさそうだった。図書室の本を調べるのにも嫌な顔ひとつせず、むしろはしゃいだ様子でついてくる。

立花先輩は、〝図書室の君〟だ。きっと高校の図書室なんてとっくにチェック済みだろうけど、念のため、本棚をひとつひとつチェックする。

司書の海野先生にも、宝石職人の本に心当たりがないか聞いてみた。やはり、餅《もち》は餅屋。プロに聞いてみるのが一番早い。けれど、海野先生の口から出てきた答えは芳《かんば》しいものではなかった。

「ごめんなさい。まったく心当たりがないわ」と残念そうに首を振る。

「私、ここに来る前は県立図書館で絵本担当だったし、大学の専攻も児童文学だったから、たいていの本は知ってると思ってたんだけど……。お役に立てなくてごめんなさい」

「そうですか」

「高校の図書室は絵本も児童書も少ないから、もっと大きな図書館を探した方がいいかもね。子供がたくさん来るような」

先生のアドバイスに感謝する。閉館時間まで一時間にせまった県立図書館に向かおうとする俺たちに、先生が「なんだか懐《なつ》かしいな」と呟いた。

「懐かしい？」

「昔、図書室で友達と自由研究の調べ物に夢中になったことがあるの。私が中学生のときだから大昔もいいところなんだけど、夏休みの間、とっても楽しかった。そうやって一生懸命《いっしょうけんめい》できることがあるのって、すごく羨《うらや》ましいな」

先生が微笑み「もしまた何か協力できそうなことがあったら言ってね」と励《はげ》ましてく

れる。

だけど、滑りこみ、三人で棚をひとつひとつ舐《な》めるように探した県立図書館にも、宝石職人の本は見つからなかった。

先輩が言った通り、彼女が何年も前からずっと探してるものを、俺たちがたった数日で見つけようなんて、ずいぶん虫のいい話だったのかもしれない。

七月が近づいてくる。

空気に含まれる湿気がどことなく軽くなって、制服の半そでにも馴《な》れていく。心当たりの場所は全部あたって探したつもりだった。ネットの相談掲示板にも書きこんだし、東京の大きな書店や児童書を扱う出版社にも問い合わせの電話を何件もかけた。だけど、依然《いぜん》として、宝石職人の話を知る相手には巡り合えなかった。

立花先輩には、本を見つけるまでは声をかけないでいようと決めていた。

俺たちが横で本棚相手に奮闘《ふんとう》するのを、彼女はまるで見えないもののように素知《そし》らぬ顔してやり過ごす。光の色が濃くなった夏の日差しが、そんな彼女の横顔をますます絵になるように映し出すのが、いっそ憧れを通り越して憎らしくさえあった。

「あのさ」

帰り道、「オススメはしないんだけど」と控《ひか》えめな声でリュウが話しかけてきた。

「前にメールした、新聞部部長のこと覚えてる？　立花先輩が部活をやめる少し前に告白がらみでいろいろあったらしいっていう」

「ああ」

正直、頭の中は宝石職人の物語のことでいっぱいで、すっかり忘れてた。リュウがためらいがちに言う。

「その人のとこに、話を聞きに行ってみたらどうだろう。人の過去を詮索《せんさく》するような真《ま》似《ね》は、前も言ったけど俺、好きじゃないんだけど。こうも本が見つからない以上、立花先輩には別のアプローチ方法も考えた方がいいよ」

俺は驚いてリュウの顔を見た。こいつがやる気になるなんて珍しい。てっきり、このままずっと、探偵ごっこみたいに本探しに興じるつもりなのかと思ってたのに。黙ってしまった俺の顔を見て、何か感じ取ったのかもしれない。リュウが「だって、このままじゃ退屈なんだもん」と答えた。

「現状探せるとこは全部探し尽くして、後は、同じ場所を何回も何回も巡るだけでしょ？　本のことはもう諦めたほうがいいよ」

「でも」

ここまで探して諦めるのも癪《しゃく》な気がする。反論しかけた俺の耳に、後ろから「賛成」という声が飛びこんできた。振り返ると、拓史が無表情のまま、手を顔のすぐ横で挙げている。

「お前ももう嫌なのか？」

「っていうか、一平にひとつ意見なんだけど」

「何？」

「その本。立花先輩が言ってた、宝石職人の児童書か絵本」

「うん」

「それたぶん、この世に存在しない」

え、と開いた口がそのままの形で固まった。拓史は物憂《ものう》げに首を傾《かたむ》け、「ないよ、たぶん」とくり返した。

「ちょっと前から、本当は気づいてた。それきっと、俺たちの依頼を断るための立花先輩の口実だよ。宝石職人バナシは、先輩が考えた、存在しない架空《かくう》の本だ。見つかりっこない」

「なんでだよ」

「根拠その一。まず、題材」

拓史が右の人指し指を立てて告げる。

「宝石職人。——これが、他の職業ならなんとなくわかるんだよ。彫刻家《ちょうこくか》とか、鍛冶《かじ》職人とか、服の仕立て屋とか。だけど、宝石だろ？　宝石って、そりゃカッティングの技術とか磨き方とか、いろいろこだわればこだわれるんだろうけど、問題になるのはキホン素材だ。原石の美しさとか大きさで価値が決まるものに、職人の技術や才能って、そんなに関係ない気がする。ちょっと考えればわからない？」

「だけど、宝石は童話や寓話《ぐうわ》にはよく出てくるモチーフだろ？　作者がそこまで深く考えなかったのかも」

「根拠その二。立花先輩は、どうして海野先生に聞かなかったのか。あの人、本気で探してないよ」

「へ？」

「聞いたんだ。海野先生に。事情を話して、立花先輩にその本について聞かれたことがあったかどうか。確認済み」

「お前、勝手なことするなよ」

「――結果から言うと、立花先輩は海野先生と本についてかなり親しく話す間柄であるにもかかわらず、これまで一度も宝石職人のその本を知っているかどうか、先生に聞いたことがない。先生が前に県立図書館で絵本を担当してたことも、大学が児童文学専攻だったことも知ってたのに、確認しなかった」

思わず顔をしかめた俺を無視するように、拓史がひょうひょうと続ける。こいつは普段は無口なくせに一度話し出すと止まらないのだ。リュウが「おおっ」と、こんなときなのにはしゃいだ声を上げる。

「よかったじゃん、拓史。海野先生と二人で話せたんだ」

「楽しい時間だった」

口元に笑みを浮かべて答える拓史を前に、俺はどう言葉を返せばいいかわからなかった。呆然《ぼうぜん》としてしまう。

本が好きだ、と話した立花先輩の顔を思い出す。

宝石職人の話をどうしてももう一度読みたい、話の結末を知りたい、という彼女の気持ちを叶《かな》えたいと思った、自分のことも。

「少なくとも、立花先輩は、そこまで本気で探してないってことだ」

ダメ押しのように告げられた拓史の声に、さっきまでのように真っ向から反論する気力はなかった。——考えれば考えるほど、ありえそうなことに思えてきたからだ。俺は先輩にからかわれていたのか。

喉が熱くなる。

「リュウ」

呼びかける声が冷たくかすれた。

「新聞部の先輩って、話、すぐに聞けるかな」

立花先輩は、どういうつもりなんだろう。最初から俺たちをコケにするつもりだったのか。毎日放課後を費《つい》やして横の本棚を探す俺たちを、先輩は窓辺のあの席から、どんな気持ちで見ていたんだろう。

（六）

新聞部の活動場所である第二美術室は、活気に満ちていた。

活気。それから、熱気。

若美谷高校は、文化部の活動も熱心だ。演劇部やブラスバンド部がコンクールや大会で好成績を残すことはもちろん、美術部や文芸部も、それぞれ全国規模で名を残せる生徒が何人かいる。

新聞部の活動が熱いことも、よく知っていた。週一で張り出される階段の踊り場や廊下の壁新聞と、月一で発行される〝若美谷だより〟。どちらも学校の公式なものとはいえ、かなり自由度が高いもので、学校行事などの堅い記事の他、部活で活躍した生徒にインタビューを取ったり、ときには、誰と誰がつきあってる、別れたなんていうゴシップすれすれの記事も扱う。恋愛沙汰《れんあいざた》はさすがにイニシャルトークになってるけど、知ってる人が見れば誰のことが書いてあるかは明白（……だそうなんだけど、俺はそういう話には疎《うと》いので、ほとんど蚊帳《かや》の外のような気持ち）。

ゴシップ記事に関しては、教師たちからも賛否両論あるところらしいんだけど、若美谷は自由な校風がウリだし、何より生徒からの支持が高い人気のコーナーだということで外《はず》せないらしい。

つまり、うちの新聞部はかなり際《きわ》どい。

俺たちが訪ねたのは、ちょうど壁新聞の最新号の張り出しを翌日に控えた日だったようだ。「五時までしか作業できないぞ」「インタビュー記事、きちんと裏取った？」「吉《よし》村《むら》先生の婚約の話題って、もう解禁でいいんだよね？」「急げ！」などなど、嵐のような声が飛び交う中、ドアの近くにいた二年生に、部長の三根先輩を呼んでもらう。

「本当に今日でよかったのかよ。何もこんな忙しそうなときじゃなくても」

肩身《かたみ》の狭い思いでリュウの腕を引く。リュウは「んー？」と間延びした声を出し、「今日って指定されたんだけどなあ」と首を傾《かし》げている。

「やあ、ごめん。おまたせ」

現れた三根先輩は、一言で言うなら爽《さわ》やか系男子だった。キレ長の一重瞼《ひとえまぶた》に、黒髪サラサラヘアーの、まるで韓流スターみたいな雰囲気の人だ。背も高くて、姿勢もまっすぐ。

「ごめんね。ご覧の通り、今、校了中なんだ。――ええと、俺のお客さん、美術準備室に通すから、ちょっとの間誰も入れないでくれる？」

部長の声に、近場にいた何人かが「はいっ」と力強く返事をする。俺は目を丸くしながら、すげえなって思ってた。〝校了中〟とか〝お客さん〟とか、まるで会社みたいだ。

話をするのにとっさに別室が用意できるのもすごい。誰かがお茶を運んできたりしないだろうか、と妙《みょう》な想像をしてしまう。それぐらい徹底《てってい》した雰囲気があった。

「君たち映画同好会なんだってね。できた当時、僕らも記事にしたよ。読んだ？」

油絵の具の匂いが染みついた美術準備室で向かい合わせに座ってすぐ、三根先輩に聞かれた。俺は本気でびっくりして「え」と声を上げる。

「知らないです」

「あー、残念。見てくれてないんだ。確か、書いたの僕だったと思う。まだ一年生なのに、部活を立ち上げるなんて偉いって、エールを送る記事だったんだけど」

「本当ですか⁉」

全然知らなかった。嬉《うれ》しくなって身を乗り出すと、三根先輩が笑いながら「今度、もしよければ、当時のものをコピーしてあげるよ」と答えてくれた。

「新聞部、すごい活気ですね。今日初めて様子見ましたけど、びっくりしました」

記事を書いてくれたというお礼こみで、多少お世辞《せじ》をまじえて言うと、三根先輩が満足げに頷いた。

「ありがとう。新聞部にここまで活気がある学校って珍しいって、よく言われるよ。実を言うと、他校の新聞部がたまに視察に来たりもしてる。――新聞部なんて地味な部活だって思われがちだけど、うちの部員はみんなやり甲斐《がい》を感じてる。将来新聞社やマスコミに入りたいっていう、ジャーナリスト志望も何人かいて、みんな、ここで経験を積むような気持ちなんだよ」

「先輩もジャーナリスト希望なんですか？」

リュウが尋ねると、三根先輩の顔が輝いた。

「うん。新聞記者志望。うち、親父も新聞記者でさ。その背中を見て育ってきたこともあって、小さい頃からの夢なんだ」

とっさに自分の親父のことを思い出してしまう。父親の職業に憧れるなんて、うちでは絶対にない発想だ。

三根先輩が重ねて言った。

「ともあれ、君たちも、たとえ文化部でも、映画部をうちぐらいもりたてることはできるはずだからさ。がんばって」

歯を見せて笑う三根先輩を前に、横の拓史が小声で「エセ爽やか」と呟くのが聞こえた。俺はあわてて机の下、先輩に見えないところでヤツの脇腹《わきばら》を肘《ひじ》でつく。

「——で」と、先輩が息を吸いこんだ。微笑んでいた目の温度がすっと下がり、心なしか目つきが鋭くなる。モードが切り替わったのがわかる。ひょっとすると、この人は取材のときはこんな顔つきになるのかもしれない。

「立花亜麻里を、映画女優として勧誘してるんだって？」

「はい。断られましたけど」

肩をすくめる。事情はすでにリュウが説明してくれているはずだった。

「だけど、頼み続けるつもりです。どうしても立花先輩で映画が撮りたいんです」

「ふうん」

「あれだけ華がある人が、どうして演劇部をやめてしまったのか、気になったんです。詳しい人何人かに話を聞くうちに、先輩の名前にたどりつきました」

「なるほどね」

三根先輩が頷いた。

「立花先輩が演劇部を引退する寸前、三根先輩が彼女に告白したと聞いたんです」

俺の声を引き継ぐように、リュウが遠慮のない口調で切り出す。

「——気分を害されたらすいません。立花先輩の様子がそこから変わったようだと、そう聞いたんです。これまでの印象ががらっと変わって、一人で過ごすことが多くなったって」

「彼女は、映画に出ないよ」

三根先輩の態度には、とりあえず不機嫌になった様子はなかった。しかし、きっぱりと言い切る。

「出るわけない。頼み続けるだけ無駄《むだ》だと思う」

「どうしてですか」

そっけない言い方に、ついむきになる。三根先輩が言った。

「その前に、まず、誤解を解こうか。よく聞かれるし、そういう噂になってしまったようだからもうどう言われようと諦めてるけど、僕は別に立花亜麻里に告白したわけじゃない。揉《も》めたことでそう見えてしまったみたいだけど、実際はインタビューを申し込んで記事を書いただけなんだ。なのにみんな、色恋沙汰《いろこいざた》が好きだからね。すぐにそういう方向に結びつけたがる」

「インタビュー？」

「あの当時は演劇部がコンクールで入賞したばかりで、立花亜麻里はうちの学校のちょっとしたスター扱いだったからね。だけど、残念ながら、その記事は掲載されなかった」

厄介《やっかい》な話なんだ、と三根先輩が笑わない顔で言った。声が重くなる。

「せっかく来てくれたから教えるけど、君たちもこのことは他言無用《たごんむよう》でお願いできるかな。表に出さないと、立花亜麻里や巻きこんでしまった教師たちと約束したんだ。それでいいなら、話すけど」

「わかりました」

三人そろって首を縦に振ると、三根先輩が持っていたペンケースから細長い機械を取り出した。音楽プレーヤーと似てるけど、ちょっと違う。ICレコーダーだ。

「新聞部って、そんなものまで部費で買えるんですか？」

「まさか。これは僕の私物。取材ではいつも使ってるんだけど」

口元に苦笑が浮かぶ。

「立花亜麻里は一見冷静だけど、インタビューの後半、手がつけられないほどヒステリックに暴《あば》れた。聞いてもらえばわかると思って、家からデータを落としてきた」

「ヒステリック？」

〝図書室の君〟には似つかわしくない単語だった。三根先輩が頷く。どこかもったいぶった口調で、語り始める。

「立花亜麻里は、スターなんかじゃなかったってことだよ。君たちが憧れ続けるような価値があるかどうか――」

ＩＣレコーダーのスイッチを押し、最初の部分を、三根先輩が再生する。

――今回、立花さんの素顔に迫る、という切り口の記事にしたいと思っています。立花さんは中学までは別の土地に住んでいて、こっちに昔の同級生もいないし、みんな知りたいだろうと思って。僕も、同じ学年に立花さんのような人がいて嬉しいです。

――ありがとうございます。私なんかが記事になるのかなって、ちょっと心配ですけど。

――僕、新聞部でメインの記事書くの初めてなんです。個人的にも、思い入れのある、自分のステップアップの記事にしたいと思ってるんで、よろしくお願いします。

「最初は和《なご》やかだったんだ」

三根先輩が言う。俺たちは、聞こえてくる今より明るい印象の立花先輩の声に耳を傾けた。

――そんなわけで、実は、今日のインタビューに先駆けて、立花さんのことをよく知る人たちに、すでに取材を終えてきてます。ひょっとしたら、プライベートな部分に立ち入ったところもあったかもしれませんが、すいません。

――え。

立花先輩の声が途切《とぎ》れる。驚いたようだった。しばらくして聞こえた先輩の声は、さっきよりだいぶ低かった。

――私をよく知る人たちって、誰ですか。

——立花さんの中学までの同級生や、恩師や、通っていた図書館の司書の先生たちです。具体的に言うと……

何人かの名前を、三根先輩が挙げる。その間、立花先輩は黙ったままだった。聞き終えて、困ったように「何人かは仲良くない子も混じってますね」と硬《かた》い声がした。

俺の心臓が、なぜか、その声を聞いた途端《とたん》、痛くなった。見たわけではないのに、立花先輩が精一杯の笑顔を浮かべているさまが思い浮かんだ。

ＩＣレコーダーの赤い光を目の前で見つめた三根先輩の顔は、無表情だった。瞳の中が、さっきまでと違って暗い。その目の色を見て、ぞっとする。

——みなさんに話を聞いてみて驚いたんですけど、立花さんって中学まではまったく目立たない存在だったんですね。

三根先輩がズバリと言った。

——演劇部ですらない。文芸部だったから、演劇経験なんてそれまではなかったはずだって聞いて、驚きました。今の写真を見てもらったんですけど、みなさん、逆に驚いてました。

——……。

——演劇経験がないところから、あんなふうに声を張り上げて役になりきるのって、恥ずかしくなかったですか？　セリフ読むの、抵抗ありませんでした？　あ、もし失礼なこと聞いてたらすいません。演劇部に入ったのは、前の学校でそういう、目立つ子たちへの憧れがあったからなんじゃないかなあって、思ったんです。

横に座るリュウと拓史の顔が唖然《あぜん》としていた。俺もたぶん、傍《はた》から見たらまったく同じ顔をしていただろう。

固唾《かたず》を呑《の》んでプレーヤーを見つめる。立花先輩が何か言ってくれるのを、祈るような気持ちで待つ。長い沈黙があってから、立花先輩が答えた。

――あの……。目立たない目立たないって連呼されるほど、自分が目立たない存在だったとは、思っていないんですけど。

――でも、証言があるんですよ。中学時代は、今みたいにコンタクトじゃなくて眼鏡《めがね》姿で、いつも図書室で本を読んでるおとなしい子だったって。髪も巻いたことはないし、真っ黒いストレートヘアで、服装や持ち物に気を使い出したのは、高校に入ってからのはずだと――。

――そんなの校則の問題なだけでしょ？　中学の頃まで厳しかったものが、高校で自由になっただけの話。ねえ、それ言ったの誰⁉

――いや、そこは守秘義務があるんでお教えできないんですけど。

もうたくさんだった。鳩尾《みぞおち》のあたりが押されたようになって、気持ちが悪くなってくる。

やめてくれ、と思う。

——演劇部に入ったのは、一人で本ばっかり読んでる地味《じみ》な自分を変えたかったからじゃないんですか？　確かに、こっちの学校に来てしまえば、前の学校でのことを知ってる人はいない。だから、高校デビューして……

ぶんっと空気が切れる音がして、声の間に急に衝撃音《しょうげきおん》がかぶさる。次の瞬間、立花先輩が悲鳴のような声で叫んだ。

——勝手なこと言わないで！

声が震えていた。

——私がどれだけ、図書室でいろんなものを見たか、豊かな時間を過ごしたか、知らないくせに。地味って何？　私には友達もいたし、本を読むのだって楽しかった！

立花先輩の声が途切れ、それと同時にレコーダーがカチリと音を立てて止まった。音声データは、ここまでのようだった。

俺は机の下でぎゅっと拳《こぶし》を握《にぎ》り締《し》めていた。手の内側が汗をかいている。背中に寒《さむ》気《け》がしていた。

学校は誰のものだ、という声が、さっきから頭の奥を震《ふる》わせていた。

これまでも、何度も何度も考えたことだった。学校は一部の目立つ層のためだけにあること、自分たちのためにないことを、俺たちは知っている。

それを自分のものにしたい。学校の主役に躍《おど》り出ようと考えるのは、そんなにいけないことだろうか。〝高校デビュー〟なんて言葉で呼ばれなきゃならないほど?

映画の世界が自分にもたらしてくれたものの大きさを、改めて考えた。実際の俺は若美谷市のこの場所をほとんど離れたことはないけど、俺の世界は今、教室風景や学校までの通学路だけがすべてじゃない。十八世紀の革命時のフランスを知ってるし、モーツァルトが生きたウィーンを知ってる。『小さな恋のメロディ』を観たときは、これからあの二人はどうなるんだろうと考えて、一日中、ラストシーンが頭から離れなかった。

そういうもののすべてを、現実より劣ってるなんて、誰にも言わせたくなかった。中学時代、映画を観る気もないヤツらに「コイメロ」なんてあだ名をつけられたとき、本当は、悔《くや》しくて悔しくて、夜も眠れなかった。高校に入ってから、リュウがきちんと観てきて、いいと言ってくれたときの嬉しさを、今も泣きそうになるくらいまざまざと思い出せる。

俺にとって映画はそういう存在で、立花先輩にとって、それは本だろう。拓史にとっては、アニメやイラストがそうだ。

学校の、今ここの現実だけを生きる青春よりそっちの方が尊《とうと》いと、思ってはいけないのか？

「僕はたぶん、核心に近づきすぎたんだ」

再生が止まったICレコーダーを手に取り、遠くを見つめた三根先輩が言った。ドア一枚をはさんだ美術室からは、相変わらず新聞部員たちの慌《あわただ》しい声が聞こえてくる。

「取材の過程で、立花亜麻里の素顔を曝《さら》け出してしまった。記事は残念ながら差し止め。立花が事を荒立てて、あの記事が表に出ないようにしてくれと、先生方に頼みこんだんだ。報道と表現の自由があるはずだ、と僕も交渉したんだけど、残念ながら取り合ってもらえなかった」

「――当たり前だ。バカ」

静かな声がして、三根先輩が伏し目がちだった顔を上げる。声は、それまで黙っていた拓史のものだった。顔色がひどく悪い。唇が震えていた。

「報道と表現の自由？　こんなのあんたの偏《かたよ》った主観に基づいた、ただの詮索《せんさく》趣味じゃないか。何が核心だよ。素顔だよ。気持ち悪いよ。ストーカーすれすれだ」

「……ストーカーみたいな外見をしてるのは君の方だと思うけど」

三根先輩が片唇を吊《つ》り上げて笑う。俺に向け「彼は失礼だね」と切り捨てるように告げた。

「本当ならスクープになるはずだったんだ。みんな知りたいだろう？　今の人気者が実は何者だったのか」

「別に知りたくない。どうだっていいです」

リュウがきっぱりと言った。リュウもまた、険《けわ》しい顔をしていた。

ふと、思い出す。人のことを陰でこそこそ嗅ぎまわるような真似をするのは性に合わないと、リュウは何度も言っていた。それは、自分自身の経験からじゃないのか。しつこい部活の勧誘も、自分を追いかけて映画部に入りたがる女子のことも、リュウは本当に嫌がっていた。どうしたって注目されてしまう自分のことを、持《も》て余《あま》していた。

「何者も何も、立花先輩は立花先輩じゃないですか。三根先輩がやったことは、ジャーナリズムでもなんでもない。ただ、女の子を泣かせて、彼女から居場所を奪っただけです」

「演劇部をやめたのは立花亜麻里の意思だよ。俺は関係ない。こっちだって迷惑したんだ。わざわざ遠い場所まで自腹で取材に行って苦労したのに、スクープを台なしにされた。先生に頼んで記事を書く前に差し止めるなんて、権力を使った暴力だ。弾圧と言っていい」

「――先輩！」

耐えられなくなって叫んだ。首筋に鳥肌が立つ。きっと、この人にはわからないだろう。だけど、言わずにはおれなかった。

「立花先輩には、もうそうするしかなかったんですよ。先生に言ってまで止めるしか。きっと、他の誰にも知られたくなかったんだ」

その頃に部活をやめ、友達とも距離を置くようになってしまったという立花先輩。

――演劇経験がないところから、あんなふうに声を張り上げて役になりきるのって、恥ずかしくなかったですか？

声が耳に蘇る。恥ずかしかったに決まってる。だけど、立花先輩はそれでもやってみたかったのだ。新しい環境の中でだったら、それができるかもしれないという可能性に懸けて、勇気を出して飛びこんだはずだ。

俺が一年のときに観た『嵐が丘』のキャサリンは、おなかから声が出た堂々《どうどう》としたものだった。きちんと発声の基礎ができていなければ、あんな演技はできない。それが高校に入ってからの一年間だけだったとしても、立花先輩は相当努力して、自分をあそこまで女優として作りこんでいったはずだった。

だけど、それは、誰かに〝恥ずかしい〟なんて言葉で分析《ぶんせき》された途端、脆《もろ》く崩れてしまった。正しく努力してきたからこそ、それを笑われたのが、耐えられなかったのかもしれない。

「先輩、どうして今日、俺たちに教えてくれたんですか。話だけじゃなくて、レコーダーのデータまで」

「だってそれは君たちが教えて欲しいって」

「教えてもらったこと、感謝はしてます。だけど……」

腹いせなんじゃないですか、と冷たい声が出た。気分が本格的に悪くなってくる。

「自分の記事がダメになったこと。先生に注意されたこと。そういうものへのあてつけに、立花先輩の過去を俺たちにバラそうって考えたんじゃないですか」

三根先輩が口を噤《つぐ》んだ。

この人にとってみたら、ほんの些細《ささい》な悪意のつもりだろう。だけど、俺はデータを聞いてしまったことを後悔し始めていた。知ってしまったことで、胸に泥のように重たいものがたまり、それが、いっぱいまで広がり始めている。

立花先輩は、潔癖なまでに、自分のことを恥じたのだ。

演劇部で舞台に立つことも、目立つことも、青春を謳歌することも。その傍《かたわ》らで、常に三根先輩の目が、お前の過去を知ってるぞ、と光ってる。

だから、立花先輩は、学校を自分のものにできなくなった。演劇も、友達も、手に入れた大事なものをすべて返上して、中学時代と同じ、〝図書室の君〟に戻った。

放課後だけじゃなくてお昼休みも図書室にいると、海野先生が言っていた。お弁当だって、ひょっとしたらあそこで食べているのかもしれない。それぐらい、立花先輩は今、教室に居場所がないと感じているのだとしたら。

三根先輩は、自分がやったことの重さがわかっているだろうか。彼の存在そのものが、立花先輩への脅《おど》しなのだ。

「――それと、三根先輩。俺のことストーカーみたいな外見って言ったけど、俺はあんたがキモいです」

拓史が言った。

「わざわざ新聞の〆切《しめきり》の日を指定して忙しさを見せつけるのってさあ、明らかにわざとでしょ? うちの部活ジュウジツしてます、俺忙しいですアピール。キモい。ほんと、キモい」

「な」

三根先輩が目を見開いた。頬がみるみる赤くなっていく。

「俺、諦めませんから」

毅然《きぜん》とした声が、喉から勝手に出た。言いながら、自分がどうしようもなく腹を立ててることを実感する。ああ、そうだ。俺はこの人が許せない。

「絶対に、立花先輩をうちの映画に出します。楽しみにしててください」

「お前らのことも記事に書くぞ」

「ご自由に。でも何て？」

リュウが眉をひそめて、うんざりとした表情を作る。整った顔立ちのリュウがそうすると、威圧感《いあつかん》があった。

「その場合は、俺らも騒ぎますよ。新聞部は事実無根な捏造《ねつぞう》記事ばっかり書いてるって。――あのイニシャルトークコーナーに曝されて嫌な目に遭《あ》ってる生徒って実は結構いるから、そのときにはきっと新聞部への不満が一気にみんな噴き出すと思う。楽しみだな」

新聞部の第二美術室を出て、映画同好会の技術室に戻るまでの間、俺たちはしばらく無言だった。足元を睨《にら》むようにして部屋まで歩いていく。

技術室に戻ると、ようやく息をするのが許された気がした。

「あのさ」と最初に口をきいたのは、拓史だった。

「似てると思わない？　宝石職人の話と、立花先輩の境遇」

「似てる？」

「友達や、これまで築いてきたもの全部を失っても、それとひきかえに世界一美しい宝石を作るかどうか」

「あ」

厳密に考えると違うかもしれないけど、根っこの部分は確かによく似ている気がした。

――先輩は本当に本が好きなんですね、と尋ねた俺に、立花先輩は「そうよ」と答えた。「本を読むの、大好きなの」と。その本の世界に、立花先輩は何かを託《たく》したのかもしれない。

存在しないかもしれない〝幻《まぼろし》の本〟。

宝石職人がどうするのかを、先輩は本当に知りたいのだ。

そのときだった。

「描《か》けば――」

俺の頭にふっとその考えが舞い降りてきた。

「描けば、どうだろう。俺たちで」

思わず声にしてしまってから、一瞬遅れで自分の体にそのアイデアが沁《し》みこんで来る。

自分でも自分の思いつきにびっくりしていた。「あ」と声を上げたリュウが立ち尽くしていた。「あー、そうだよ！」と突き抜けるような声を出す。

「一平、ナイス！　そうだよ。なんで今まで気づかなかったんだろう。宝石職人の話が存在しないなら、自分たちで描けばいいんだよ。結末を自分たちで考えて、絵をつけて」

心が決まる。互いの目を見るだけで、気持ちが同じなのがわかった。今度こそ、全員が本気だ。

「やろう」

俺の声に、二人がしっかりと頷いた。

（七）

拓史が絵を描き、俺が文を書く。製本の担当は手先が器用なリュウで、内容の結末は全員で一緒に考える。

「安易なハッピーエンドじゃ駄目《だめ》だと思うんだ」

俺が提案する。それは、この一ヵ月近く、立花先輩の元に通い続けた俺の、直感のようなものだった。立花先輩は、おざなりな結末は望んでない。

すべてとひきかえに、世界一美しい宝石を作るか。

今の生活を守りながら、宝石作りを諦めるか。

先輩が俺たちの映画に出てくれるかどうかは、この結末にかかってる。

結論が出ないまま、各自宿題のように本の内容を家に持ち帰る。夕飯を終え、ああでもない、こうでもない、と部屋で悩んでいると、夜遅くになって親父が帰ってきた。

「ただいま」の声に答えず、そのまま部屋にいると、母さんが親父のために夕食を温め直している気配がした。そのまま、いつものスポーツニュースの声が聞こえてくる。

空気が一変したと感じたのは、そろそろ十二時を回るという頃だった。親父が、廊下で誰かと携帯で話す声が聞こえた。テレビの音が消えている。

「ええっ？」と驚いたような大声が上がる。

さすがに気になってそっと廊下に出ると、「わかりました」と親父が電話の向こうの相手に答えているところだった。

「すぐに行きます」

携帯を口元に当てたまま、脱《ぬ》いだばかりの背広を着こむ。俺はとっさにリビングまで行って時計を見た。もう、日付が変わる。なのに、会社に戻るつもりなのか。

電話を切った親父が「すまん」と俺たちに謝った。

「急に仕事が入った。今日はたぶんもう徹夜作業になると思うから、母さんと一平は先に寝ててくれ」

「どうしたの、急に」

とまどった様子の母さんの目を、親父が覗きこむ。とても大事なことを伝えるように、まっすぐに視線を合わせて言う。

「――白カビが原因の、新種の喘息《ぜんそく》の事例が確認されたらしい。うちでずっと研究してきた薬が使えるかもしれない」

母さんの顔にはっとした表情が浮かんだ。唇を開いた形のまま、目を見開く。親父の顔が、なぜか、泣きそうに見えた。それは、俺の目の錯覚《さっかく》か、気のせいだったかもしれないけど、とにかく一瞬、そう見えた。

「間に合ったのかもしれない」と親父が言った。

俺には何のことか意味がまったくわからなかったけど、母さんが黙ったまま、小さく顎《あご》を引いて頷いた。そのまま「いってらっしゃい」と親父を送り出す。

慌しく出て行く親父が「一平、夜にうるさくしてごめんな」と俺を振り返った。もう高校生なんだし、謝られることでもなかったけど、小さな頃されたように頭をなでられそうになって、あわてて体を引いてかわす。そんなのは照れくさいから勘弁《かんべん》して欲しい。

俺に手をかわされた親父は、寂しそうにふっと笑った。「いってきます」と呟いて、玄関を出ていく。携帯を鞄にしまいこむ手元が見えた。俺が小さい頃からずっとつけっぱなしになっている、ペンライトのような筒《つつ》状のキーホルダーが揺れる。いい加減もう何十年もつけてるせいで、表面の金属は磨《す》り減ってるし、色も茶色味がかってる。前に一度、取り替えたら？　と尋ねたら、苦笑しながら、「かわりはないんだ」と首を振られた。

「父さんって、喘息《ぜんそく》の薬の研究してたの？」

親父を送り出してから尋ねると、母さんが「ええ」と答えて、俺を見た。

「そうよ。何年も前から、薬の研究を続けてきた。父さんの薬で、これから助かる子たちが何人もいるかもしれない」

「へえ」

「昔の友達に、そういう薬を作るんだって、約束したの」

母さんの目の上に、うっすらと水の膜が張る。驚く俺の前で「ごめん」と言って、あわてて目頭を押さえた。

（八）

宝石職人の絵本は、出来上がってみると、いかにも市販のものとは違う箇所が目立った。バーコードも価格も出版社も、一応それらしくレタリングしてデザインに入れたけど、絵も文字も、結局紙に直《じか》に書いた。

下手に細工したところで、どうせ、どこかに粗《あら》が出てしまって、完全にごまかすことはできないだろう。だったら最初から手作りであることを隠すのはやめた。

タイトルは、『世界で一番美しい宝石』。

拓史に任せた表紙には、タイトルだけが入って、そこに〝世界一美しい〟とされる宝石の絵は描かれなかった。

「見つけてきました」

窓辺の席に座る立花先輩の前に、本を差し出す。今日は、リュウと拓史も一緒だった。

立花先輩が、信じられないものを見るように絵本を見つめた。おそるおそるといった様子で手を伸ばし、俺の手から本を受け取る。

手触《てざわ》りや感じから、すぐに手作りだとわかったのだろう。はっと顔を上げ、俺たち三人の顔を順番に見た。唇を閉じたまま、一言も発しない。俺たちも黙ったままでいた。

やがて先輩が「見てもいい？」と尋ねた。少し身構えたような硬い声だった。

「どうぞ」

「ありがとう」

本を渡し、俺たちはそっと先輩の元を離れた。なるべくゆっくり、誰にも気兼ねせずに読んで欲しい。――とはいえ、俺たちが用意した結末を読んで先輩がどう思うかを考えたら、全身が心臓になったように、鼓動が大きく打ちつける。

正解を出せたのかどうかは、わからなかった。

宝石職人は、すべてとひきかえに、ただそれが見てみたいという欲求に耐えられず、世界で一番美しい宝石を作る才能を手に入れる。

家族も友人も失い、すべてに去られた後、孤独の中で彼が作った宝石は光り輝き、多くの人々にその美しさを絶賛される。職人は名誉と金を手にする。

しかし、宝石職人自身は、その〝世界一〟とされる宝石を、どう見ても美しいと感じることができない。かつて自分が作っていたものの方がよほど美しかった、と自分に力を与えた魔法使いを呪《のろ》うが、職人本人以外は、彼の宝石をいつまでも〝世界一美しい〟と貴《とうと》び、称《たた》え、皆、幸せそうに身につける。

その笑顔とひきかえに、宝石職人は自分がすべてを失ったのだと知る。

そこで、絵本は終わる。

ものづくりってなんだろう、と頭がおかしくなるくらい考えて、三人で決めた結論がこれだった。

絵本作りが佳境《かきょう》に差しかかった頃、ちょうど数日ぶりに親父が家に帰ってきた。

例の新種の喘息は、瞬《またた》く間に全国的に発症が確認され、ちょっとしたニュースになっていたが、それに寄り添う形で、親父の会社に新薬の準備があったこと、早期発見された場合には、その薬が覿面《てきめん》に効果があることも、同時に報道されていた。

「準備してきた薬が効《き》かなかったら、どうするつもりだったの？」

疲れたようにリビングのソファに上体をもたせかけた親父に尋ねてみた。自分が一生を懸ける覚悟でやってきたことが徒労《とろう》に終わったとしたら、後に残る気持ちはどんなものになるだろう。そう思って聞いた俺の言葉に、親父はごく自然な口調で「そうだなあ」と答えた。

「そしたら、それでも俺の失敗をバネに、どこかの誰かが新薬を作ってくれるだろうと期待する。きっと、無駄にはならない」

眠そうに半目を開けた親父が、唐突《とうとつ》に「映画部で、映画、撮ってるんだって？」と尋ねてきた。母さんから聞いたのかもしれない。

俺は姿勢をしゃんと伸ばして、ぎこちなく「まあ」と答えた。本当は、映画部は同好会どまりで〝部〟じゃないし、映画だって撮れるかどうかわからないことは黙っていた。

「がんばれよ」と親父に背中を、とん、とやられた。

眠そうに見えたのに、その力強さにとまどう。見れば、親父は完全に目を閉じて、もう寝息を立て始めるところだった。——もともとこういう、単純な体の仕組みをしてる人なのだ。毛布を持ってきてかけながら、親父の寝顔に向かって、一言「お疲れ」と呟いた。

ものづくりが徒労に終わるかもしれないなんて、決めるのは結局誰かの主観でしかない。何が無駄かなんてことを決めるのも、人それぞれだ。

俺たちが用意した絵本の結末を、先輩がどう解釈しても構わない。その先に見るものは、読み手によって、みんな、違うはずだ。

「読んだわよ」という声がして、我に返る。

図書室の隅《すみ》で、試験の結果発表を待つような気持ちでいた俺たちがそろって顔を上げると、立花先輩が仁王《におう》立ちのような格好で立っていた。

表情は、唇を引き結び、怒っているようにも、何かをこらえているようにも見えた。だけど、目が合った瞬間に、瞳の中が真っ赤になる。

「どうでした？」

面と向かって聞く勇気があったのは、リュウだけだった。俺と拓史は、黙りこくったまま先輩の顔を見つめる。先輩がふいっと横を向く。そっぽを向かれたのかと思ってあわてて立ち上がりかけたそのとき、先輩の顔の前に、涙の粒がまるで朝露《あさつゆ》のように光って飛んだ。

——あ、今のいい。

と思ってしまう。どんな映画の演出でも、こんなきれいな涙は観たことない。俺が、この演出を使う第一号になりたい。

「映画、出てもいいよ」という先輩の声は、とても小さくて、注意しないと聞き逃《のが》してしまいそうなほどだった。だけど、俺たちの耳に、その声はしっかりと届いた。

(九)

映画の撮影に入ってしばらくした頃、司書の海野先生が、「ちょっといい?」と俺たちに話しかけてきた。ちょうどいい画《え》を求めて図書室にロケハンに来てたときで、立花先輩はいなかった。

「あなたたちが探してた本、見つけたわよ」

そう告げられたとき、何のことか、とっさにわからなかった。だけど、次の瞬間、先生が手にしている薄い本のタイトルを見て、あっとなった。

『職人と世界一の宝石』

拓史もリュウも、俺の横で驚いていた。表紙には美しい宝石が描かれ、小人のような帽子をかぶった職人の姿がその隣に並ぶ。拓史が描いたものとは、まるで似ていないイラストだった。

「友達に協力してもらって、一緒に探してたの。私の友達も本が好きでね、昔、図書室を通じて私と友達になったから、本のことで困ってる子がいるならぜひ協力したいって力を貸してくれたの」

海野先生が笑う。どこまで事情を知っているのか、俺たちのことを見ていたのかわからないけど、すべてお見通しのような顔で静かに首を振る。

「もう、あなたたちには必要ないかもしれないけど」

「これ、どこで」

「個人の作者の自費出版の本なんだって。近くの図書館なんかには寄付したみたいだけど、一般的にはほとんど出回らなかったみたい。だから存在が知られてなかったのね」

自費出版とはいえ、手に取ると本は俺たちが作ったものの何倍も重量感があって、背も、カバーも、紙も、ずっとしっかりしていた。

「本当にあったんだ。誰だよ、存在しないって言ったヤツ」

リュウが呟くと、拓史がつまらなそうに唇を尖《とが》らせる。

「いいだろ、結果、今うまくいってるんだから。それより、内容は？　俺たちが作ったのとどっちがいい？」

拓史とリュウ、それぞれが手を伸ばして、本を奪おうとする。俺はされるがまま、本を二人の手に委《ゆだ》ねた。正直、実際の結末になんかもう興味がなかった。

本が好きなんですね、と問いかけ、大好きだと答えた立花先輩の顔を思い出す。あの顔に、嘘は、やっぱりなかった。

快哉《かいさい》を叫びたい気持ちで図書室の天井を振り仰ぐ。

ロケハンなんてするまでもなく、図書室で先輩を撮るなら、場所はひとつしかない。窓辺の、〝図書室の君〟の特等席だ。——最初にそこで先輩を見かけたときと、できたらまったく同じ画を撮りたかった。

あのときは五月だったけど、夏服を着て七月の風と光を浴びる立花先輩は、そのときより数段きれいに見えた。映画や写真に撮られるよう、フィルムに祝福された女神のようだと、また感じる。

カットの声をかけ、放送部からの借り物のカメラを止める。「ありがとうございます」と先輩に声をかけるとき、足元から微かに震えが来た。

「これで、夢に一歩近づけます。先輩のフィルム見て、来年新入生が入ってくれれば、映画同好会はきちんと部にできる。そうすれば――」

「え。映画部ってもう部じゃないの？」

先輩が首を傾げる。俺は申し訳なくなって「はい」と答えた。

「四人以上そろわないと無理で。あと、顧問もいないし」

「四人いるじゃない。一平くんと、リュウくんと、拓史くん。あと、私」

立花先輩がなにげなく言って、俺たちは三人とも絶句して立ち尽くす。先輩が「私、入部したつもりだったんだけど」と答えて、さらに度肝《どぎも》を抜かれた。

「顧問は、海野先生にでも頼んだら？　ねえ、先生」

呼びかけに顔を向けたカウンターの向こうで、海野先生が仕方ないなあって顔をして笑っている。

心の奥底に、じわじわと甘い感覚が広がる。いいんですかっていう、感覚だった。信じられなかった。

先輩が言った。女神のような、とびきりの笑顔で。ほら、と俺に向けて。

「映画部、発足《ほっそく》だよ」

学校は誰のものだ、と声がする。胸に深く、問いかけるような声だ。

今日だけは、こう答えても罰《ばち》が当たらない気がした。

学校は、俺たちみんなのものだ。

解説 ―― サクラに寄せて

あさの　あつこ（作家）

人が生きるうえで、最も大切なものは何か？

辻村深月は、人の生の根源《こんげん》を問い続けてきた作家だ。

デビュー作『冷たい校舎の時は止まる』で、八人の少年少女たちは自殺したクラスメートの名前を探し続ける。凍《い》てついた冬の景色を連想させて美しく、容赦ない物語『ゼロ、ハチ、ゼロ、ナナ。』では、〝母殺し〟を軸に幼馴染の二人の女性が絡まり合う。『ツナグ』では孫と祖母（このお祖母ちゃん、アイ子の魅力的なことといったら、もう、ため息が出てしまう。言葉一つ一つに魅入《みい》られてしまうのだ）、生者と死者が交差する。

どの作品にも死の匂いが満ち、謎があり、生き延びることの哀しみと、生き続けることの不条理が刻まれている。そう、辻村さんは、物語を書くのではなく、刻み込む。強靭《きょうじん》な鏨《たがね》が岩を穿《うが》つように、刻み込むのだ。刻んでいくさきにあるのは、金鉱か銀鉱か。どちらにしても、底光りする鉱石には違いない。

この『サクラ咲く』は、辻村さんが若い読者に贈った一冊だ。『世界で一番美しい宝石』。の三章からなる。若美谷中学と高校を舞台に、『約束の場所、約束の時間』。『サクラ咲く』。『約束の場所、約束の時間』と『サクラ咲く』は、登場人物が微妙に重なりつつ、それぞれの物語を紡《つむ》いでいく。

人が生きるうえで、最も大切なものは何か？

その問い掛けが、ここでも底から光を放っている。それに対する答えは様々だろう。愛、財産、家族、仲間、地位、名誉、誇り、志、運、心、信心、故郷、恋人……。正解もなければ誤解もない。人の分だけ、答えはあるはずだ。

何と、青臭いことを。

おいおい、今さら人生かよ。

日々、食っていくだけでいっぱいいっぱいなんだ。そんな甘ったるいこと、考えていられるもんか。

そんな揶揄《やゆ》も聞こえる気がする。生きる根元から目を逸《そ》らす人は多い。そんなものは、青春の一時に罹《かか》る熱病に過ぎないと嗤《わら》う者はさらに多い。

さもありなん。日々の現実と格闘していると、根元の問いに向かい合おうとする気概《きがい》など失せてしまいそうになる。わたし自身もそうだから、よく、わかる。気持ちは萎《な》え
て、思考力は鈍り、唯々諾々《いいだくだく》と流されてしまう。

楽な方に、わかり易いものの方に、闘わなくてもいい方に、誰もがうなずいてくれる結末の方に、ずるずると引き摺《ず》られてしまう。

だから、驚嘆するのだ。

辻村深月という作家の闘争に。

人の生の根元にある死と謎と哀しみと不条理、そして、希望を見詰め続け、刻み続ける膂力《りょりょく》は逞《たくま》しく、眩しい。

『サクラ咲く』は先述したとおり、若い読者に向けたものだ。だからだろうか、より希望の色彩が鮮やかに感じられる。しかし、やはり辻村さんの作品。

若いから未来を信じられる。その未来は努力次第でいかようにもすばらしいものになる。などと、卒業式の挨拶然とした、つまり、定型の希望を語りはしない。

個々の希望、個々の絶望、個々の姿、個々の想いを丁寧にすくい上げていく。すくい上げた先にあるのは、個の物語だ。どこにもないここだけの、悠の、朋彦の、マチの、

一平の物語が息づく。個別の、そして、いや、だからこそとびっきりおもしろい。どれも、やはり人の暗み、闇の部分を纏《まと》う。あっけらかんと明るいだけの作り物ではない、光と闇が同等に存在し、登場人物の陰影を深くする。

『約束の場所、約束の時間』の悠は儚《はかな》げだ。病を抱え、普通の暮らしさえ覚束《おぼつか》ない。生気の塊《かたまり》のような朋彦とは正反対だ。その彼が、朋彦を守り切るためにとった行動は……。

『サクラ咲く』は三篇の中で最も濃く、死と謎に彩られているような気がする。

若美谷中学一年五組の塚原マチは、図書館でリザ・テッナーの『黒い兄弟』を手に取る。小学生の時、読んで好きになった本だ。その本をなにげなく開いた瞬間、一枚の便箋がページの間から落ちた。

『サクラチル』

便箋にはただ一行、そう記されていた。

これはメッセージ？　だとしたら、誰が何のために、こんなことを？

ウェブスターの『続あしながおじさん』、エンデの『はてしない物語』……便箋は次々と見つかる。

誰かが本の中にそっとメッセージを忍ばせているのだ。そして、マチも思い切って、短いメモを『はてしない物語』に挟む。そこから、姿の見えない誰かとマチとの、ささやかなやりとりが始まる。

誰かとは誰なのか。

奏人、みなみ、琴穂、恒河……マチは、クラスメートの一人一人に思いを巡らせていく。

この作品が見事なのは、本を仲立ちに結びついた誰かを探すうちに、マチ自身が少しずつ少しずつ変化していく、その姿を鮮やかに見せてくれることだ。マチのここがこう変わったなどと、辻村さんは、むろん、書かない。そんな押し付けはしない。少女の変化を行間に滲《にじ》ませ、読者の前に差し出してくれる。

マチは変わった。

他者と自分をきちんと捉え、肯定できる力を身に付けた。

一学期の最初、琴穂に「字がうまいから」という理由で書記に推薦されたことを思い出す。あのときは、言われるままに役職を引き受けることが嫌でたまらなかったけど、琴穂は、きちんとマチの字を見てくれていたのだ。感謝で、胸がいっぱいになる。

見ててくれるよ。

胸の中で、呼びかけていた。見ててくれる人は、必ず、どこかにいる。手をぎゅっと握り締め、琴穂に向けて「ありがとう」とこたえた。

こんなさりげない描写の中に、十代の日々を生きる少女が浮き彫りになってくるのだ。

あぁいいなあと、心底、思う。

こんな風に迷い、惑い、揺れることは、もうわたしにはできない。こんな風に自分や他者とぶつかることは、できない。自分を新たに見つけていくことはできない。

あぁいいなあ。ほんとうに、いいなぁ。わたしは何度も呟く。十代だからこそ開くサクラが美しいではないか。

少女たちの関係もいい。探り合い、ときに、傷付け、苦しめ、でも相手を理解しようと手を伸ばす。

琴穂の強さと身勝手さ、みなみの大人びた佇《たたず》まいと心の揺れ、紙音の孤独と決意、そして、マチの気弱さとまっすぐな想い。

今、まさに十代の人たちは、それぞれの少女に自分を重ね、投影し、物語の世界を堪能するだろう。本だけが持つ力だ。本物の力を有した本だ。十代でこの一冊に出会えた人の何と幸せなことか。

そして、『サクラ咲く』のもう一つの主人公は、本と図書室そのものだ。昔読んだ懐かしい書名が次々に出て来て、胸が高鳴った。『ナルニア国物語』や『はてしない物語』を初めて読んだ時の、あの興奮がまた、湧きあがってきたのだ。

本によって人がどう支えられるのか、辻村さんは知り尽くしているのだろう。そして、これらの物語が好きでたまらないのだろう。

新しい、中学校の本。ここにあるすべてをこれから三年間かけて読んでいっていいのだと思うと、わくわくする。

マチの心の声は、中学生だった辻村さんの声なのだ、きっと。

『世界で一番美しい宝石』。これだけが高校の図書室から始まる。一冊の絵本を巡り、淡い恋や若い傲慢《ごうまん》やぎりぎりの再生が描かれる。
最後の意外な展開が、さすがだ。
一平、リュウ、拓史の三人組が実に生き生きと迫ってくる。
辻村さん、この三人の物語、もっともっと読みたいです。
『サクラ咲く』の中で、少年少女たちは確かに生きている。
彼ら、彼女たちのごたごたとした、でも、透き通った時間がたまらなく愛しかった。

〈初出〉
約束の場所、約束の時間　進研ゼミ『中二講座』（二〇〇九年九月号〜二〇一〇年三月号）
サクラ咲く　進研ゼミ『中一講座』（二〇一〇／二〇一一年度）
世界で一番美しい宝石　「小説宝石」（二〇一一年七月号）

二〇一二年三月　光文社ＢＯＯＫ　ＷＩＴＨ　ＹＯＵ刊

光文社文庫

サクラ咲《さ》く

著者　辻《つじ》村《むら》深《み》月《づき》

2014年3月20日　初版1刷発行
2025年3月30日　26刷発行

発行者　三宅貴久
印刷　萩原印刷
製本　ナショナル製本

発行所　株式会社　光文社
〒112-8011　東京都文京区音羽1-16-6
電話　(03)5395-8149　編集部
8116　書籍販売部
8125　制作部

ISBN978-4-334-76704-4　Printed in Japan

JASRAC　出 1402292-526

組版　萩原印刷